DE MAN
EN ZIJN LICHAAM

ARIE BOOMSMA
STEPHAN SANDERS

DE MAN
EN ZIJN LICHAAM

GESPREKKEN OVER UITERLIJK EN INNERLIJK

2010

UITGEVERIJ CONTACT

Amsterdam | Antwerpen

INHOUD

LICHAAM

We kenden elkaar al, niet erg lang en behoorlijk oppervlakkig, maar toch: toen het moment aanbrak dat Arie werd geschorst bij zijn toenmalige werkgever de EO, omdat hij bijna blote foto's had laten maken voor *L'homo*, de eenmalige manneneditie van *Linda*, was het niet vreemd dat wij elkaar opzochten om de kwestie te bespreken die in alle media hoog werd opgespeeld.

Arie verbaasde zich over het taboe dat er kennelijk nog op het mannelijke lichaam rustte, en ook over de verwijten van narcisme, blasfemie en nog veel erger die hem ten deel vielen. Goed, kritiek kwam vooral uit conservatief-gelovige hoek, al te veel lankmoedigheid viel daar misschien niet te verwachten, maar ondertussen ging Stephan na hoe een blote foto zou vallen bij het intellectuele of politieke deel van Nederland. Het 'ijdelheid der ijdelheden' zou er misschien niet bij gehaald worden, maar zou de reactie zoveel ruimhartiger zijn geweest?

Zo raakten we in gesprek over de man en zijn lichaam: hoe werd daar eigenlijk mee omgesprongen binnen de christelijke traditie? Bestond en bestaat daar nog steeds het beeld van enkel zondigheid, vleselijke lusten en vanitas? Stephan had eerder een essay geschreven over de verhouding tussen de intellectueel en zijn lichaam, en concludeerde dat die op z'n minst ongemakkelijk was.

Je hebt grofweg gezegd hoofdmannen, die het van school en slimheid moeten hebben, en lichaamsmannen, die uitblinken in sport, al vroeg mooie brede schouders hebben, en daarna hun uiterste best moeten doen om niet voor dom versleten te worden, want *brains* en een afgetrainde platte buik, dat gaat niet samen.

Zo ontstond het idee om samen een boek te schrijven, en toen stonden we voor de moeizame taak heel verschillende mannen te vinden, zowel van het lichaamsbewonderende als van het lichaamsverachtende soort, en alles wat zich daar tussen bevindt. We wilden niet de meest voor de hand liggende kandidaten portretteren, zoals de breedste bodybuilder of de meest gefacelifte man van Nederland. We zochten naar mannen die een onverwacht licht konden laten schijnen op hun lichaam, en in één moeite door ook op hun 'mannelijkheid', wat zij daar ook onder mochten verstaan.

Zo hebben we 21 mannen geïnterviewd, en ook onszelf niet gespaard.

Je kunt anderen het hemd van het lijf willen vragen, maar dan moet je zelf ook niet te beroerd zijn om je shirt uit te trekken.

We vroegen alle geportretteerden een foto te laten nemen door Judith Vermeij of Jan van Breda, en daarbij zelf te bepalen hoeveel of hoe weinig ze van hun lichaam wilden prijsgeven aan het flitslicht. 'Trek net zoveel uit als comfortabel is...', dat was ons advies.

Het resultaat van onze zoektocht kunt u hier dus niet alleen lezen, maar ook zien en ja, misschien zelfs bewonderen.

Arie Boomsma en Stephan Sanders

NOTITIES EN VRAGEN OVER HET LICHAAM ALS MAN

In dit boek wordt mannen gevraagd naar hun lichaam. Het kan niet anders of de duivels nieuwsgierige vragers bedoelen ook hun naakte lichaam. Vanzelfsprekend is het mannenlichaam immers niet – daar hebben we het woord 'naakt' voor, om uit te drukken dat het in de wandeling bedekt is. Niet alleen vanwege het weer, maar ook omdat wij zelf willen bepalen wanneer het gezien mag worden, en door wie. Eigenlijk bedoelen we: de naaktheid is van ons, het is aan ons om uit te maken wie het mag zien. Dat geldt ook voor de tekoop-lopers onder ons, die niets liever willen dan door zo veel mogelijk onbekenden gezien te worden.

Van wanneer dateert mijn lichaam, ik bedoel: wat is mijn vroegste herinnering aan mijn eigen lichaam?

Het is, merk ik, in een mannenboek makkelijker om ballonnetjes over het vrouwenlichaam op te laten. Ik weet bijvoorbeeld precies op welk lichaamsdeel van een vrouw ik val, op het fetisjistische af. De vrouw met wie ik leef, heeft die lichaamsdelen. Het zijn er twee. Ik weet dat ik vrekkig klink, maar ik beperk me ertoe ze alhier X'en te noemen. Als ze onbedekt zijn, kan ik mijn ogen niet van ze afhouden. Ik heb na bijna 35 jaar welgevallen de indruk dat mijn blik in kwestie altijd door haar wordt genoteerd, of laat ik op z'n minst zeggen dat zij het terdege bespeurt wanneer de blik niet wordt geworpen. Er is over deze blik nooit met één woord gesproken – mensen die lang elkaars leven delen kunnen op 'Zeer Intieme Uiterst Fysieke Punten' melkwegstelsels van elkaar verwijderd zijn.

Eens heb ik een nieuwe kennis, een vrouw iets ouder dan ik, tegen mijn vrouw horen zeggen: goede X'en heb jij, beseft *hij* eigenlijk wel hoe mooi?

Met hij bedoelde ze mij. Ik zat erbij.

Ik snap nog altijd niet hoe het gesprek zich zó had kunnen ontwikkelen dat dit gezegd kon worden. Wel maakte ik uit de opmerking op dat de kennis anders naar mijn vrouw keek dan ik naar haar man – die er overigens niet bij was.

Kijk ik naar mannen, of zie ik ze alleen?

Als ik merk dat een medeman hetzelfde aan mijn vrouw mooi vind als ik, dan is dat niet onprettig. Zij onttrekt haar X'en niet aan andere blikken dan die van mij. Maar als ik ontdek dat *zij* eenzelfde blik als de mijne werpt, maar dan op een naakt gelaten lichaamsdeel van een medeman, dan word ik op het diabolische af onrustig. Zo is de Trojaanse oorlog begonnen. Niet omdat Helena onweerstaanbaar was, maar omdat haar wettige man Menelaos bemerkte dat Helena naar de enigszins donzige plek in de nek van de achteloos op bezoek zijnde Paris staarde – daar waar zijn wervels bijna onmerkbaar overgaan in een gootje.

Nota bene, het gaat hier niet om wat wij intieme delen zijn gaan noemen, maar om benen, armen, schouders, nek, zelfs handen – die normaal gesproken hors concours zijn, ze kunnen immers nauwelijks 'naakt' genoemd worden. Maar zelfs handen worden naakt als ik merk dat zij erdoor begoocheld raakt op de wijze waarop ik door haar X'en.

In 1986 kon ik mij herinneren wanneer ik mijzelf voor het eerst in de spiegel heb gezien. Ik was gevraagd om voor studenten een lezing te houden getiteld *Hedendaagsch Begeren*. Ik had een jaar eerder een boekje gepubliceerd over pornografie, *Denken is een lust*. Daarin probeerde ik te begrijpen hoe het mogelijk is dat ik, in de jaren zestig opgevoed door vrijdenkers met een abonnement op *Verstandig Ouderschap*, mij had verslingerd aan pornografie en mij daar toch voor schaamde. En dat terwijl mij door de Vereniging voor Seksuele Hervorming verteld was dat er maar één ding was waar ik me voor hoefde te schamen, en dat was de schaamte.

De tekst van de lezing ben ik verloren, maar de herinnering aan mijn 'eerste zelfgeworpen bestuderende blik' op mijn lichaam is als los verhaal in *De letterpiloot* opgenomen, een essaybundel uit 1994. Vreemd – ik herinner me deze herinnering, en dat die om zo te zeggen 'riant' was, ik kon op mijn vierendertigste mijn achtjarige zelf nog lichamelijk herinneren.

Als ik me concentreerde op mijzelf, staande in de gang van het Amsterdamse huis, 's avonds, terwijl mijn moeder in een belendende kamer blokfluitles aan het geven was – ik werd geacht al te slapen, maar stond halfnaakt voor de spiegel en wilde even mooi en gespierd zijn als de hoofdpersoon de indianenjongen van het Gouden Boekje – enfin, wat mij toen moeiteloos af ging: al herinnerend mijzelf *worden*. Dat kan ik niet meer.

'Naar wie keek ik?

Wie zag ik?

Wat was mijn lichaam voor verschijning daar aan het einde van de gang?

Het gaat hier om de eerste herinnerde blik op mijzelf. Er zullen talloze ogenblikken van narcisme aan vooraf zijn gegaan, maar dit is vooralsnog de herinnering aan de eerste blik, en ik beschouw de toestand van starende onlesbaarheid die erop volgde als een min of meer bewuste blijk van mezelf als een erotisch schepsel. Ik deed intussen niets anders met mezelf dan nu en niets anders dan een andere positie innemen om mezelf beter te kunnen zien.

Je zou kunnen zeggen: dit was het begin van mijn leven als minnaar. Het is begonnen met dat ik een beeld werd. Met een plaatje in een boek en met een poging om in mijn spiegelbeeld dat plaatje te ontwaren, en ik slaagde daarin, want ik begon te gloeien. Trillend van vrees, want ieder moment kon de les afgelopen zijn en de deur waarop de spiegel was bevestigd geopend worden, en met de spiegel zou ik worden weggedraaid en betrapt. Schaamte maakte van meet af aan deel uit van mijn opwinding.'

De herinnering is er nog, maar ik heb haar niet meer. Dat wil zeggen: ik weet dat ik mij dit herinnerd heb, maar ik beleef de herinnering niet meer. Dat is een ontdekking van de laatste jaren: eerste herinneringen verdwijnen, het vermogen om ze te 'incarneren' verzwakt, op een essentiële manier raak ik mijzelf als lichaam kwijt. Er sijpelt met het ouder worden onmiskenbaar iets uit mij weg. Soms denk ik dat dit een typisch schrijversfenomeen is. Dat als ik de herinnering niet had opgeschreven, zij wel zou zijn blijven leven.

Nu en dan komt er een andere eerste lichaamsherinnering voor in de plaats. Zoals aan Omi, mijn Indische grootmoeder, toen ik vier was, hooguit vijf. Op haar, en op mijn vijfjarige lichaam, wil ik met deze aantekeningen uitkomen.

We kunnen de geschiedenis van de naaktheid laten beginnen in het paradijs, nadat Eva, zonder daar veel moeite voor te hoeven doen, Adam had overreed om na haar een hap van de verboden vrucht te nemen. Het verhaal wordt in het eerste boek van de Bijbel, Genesis, zorgvuldig zó verteld dat we begrijpen dat zowel Adam als Eva pas als het te laat is begrijpen wat ze hebben gedaan. Vondel noemt dit 'naberouw'. We begrijpen ook dat ze op dat moment bloot zijn. Dat is het paradijselijke woord voor naakt: bloot zijn baby's, bloot ben je als niemand je ziet, of alleen met vertrouwden. Tijdens mijn exercitie als indianenjongen voor de spiegel balanceerde ik op de rand van bloot en naakt.

Adam en Eva zijn zich van hun blootheid niet bewust, ongeveer zoals mijn hond niets aantrekt als ik hem ga uitlaten, ook al weet hij dat hij Max, de rottweiler van de buurvrouw, kan tegenkomen. Op het moment dat Adam en Eva beseffen dat ze hun belofte niet hebben kunnen houden, dat ze, of ze willen of niet, brekers zijn, overtreders, willen ze plotseling ook hun lichaam bedekken.

Je stelt je voor dat Eva Adam naar haar ziet kijken en voor het eerst niet gezien wil worden. En andersom. Het ontzettende wegkijken en ontwijken, dat het menselijk verkeer zo infernaal kan maken, het niet onder ogen komen van de liefste en willen verzwijgen, het vrezen van het oordeel, het bitse afreageren, het weten dat er dwars door je heen wordt gekeken, het vernederende bluffen dat er niets, maar dan ook niets serieus aan de hand is, het afschuiven van de schuld, het klikken en aangeven, het onuitroeibare *als ze onder mijn pony kijken zien ze dat ik jok* – het is allemaal begonnen, en het liefst zou je nu volmaakt onzichtbaar zijn, of beter: *er niet zijn*. Maar je bent er, en je bent een en al lichaam, naakt, naakt, naakt.

Het is vervolgens ook een van de eerste dingen die God (in de vertaling van Pieter Oussoren) vraagt als hij het bibberende stel gevonden heeft: 'Wie heeft aan jou gemeld dat je naakt bent, jij?' Deze naaktheid is in Genesis geen seksueel gegeven. Waar men het toch vandaan haalt dat uit het paradijsverhaal zou blijken dat mensen voor hun begeerte gestraft worden, dat vrouwen door hun vleselijke lust de oorzaak zijn van de erfzonde, het is mij nooit helemaal duidelijk geworden – ik lees boven alles dat de eerste twee mensen op het moment dat zij beseften dat zij de ene afspraak die zij hadden gemaakt, hadden geschonden, dat zij toen ineens ook beseften hoe weerloos, futiel, sterfelijk, kortom *lichamelijk* zij waren. Naakt, dus.

Is het onderwerp van dit boek wel het lichaam? Of is het de blik – the eye of the beholder?

Ik durf niet eens te dénken aan wat er gebeurd zou zijn als ik op een hém gericht geraakt zou zijn geweest, in plaats van op haar. Wel kan ik het me terdege vóórstellen – mijn puberteitsvriendschappen met jongens zijn hevig en verliefd geweest. Maar iets zegt mij dat ik het nog geen week zou hebben uitgehouden als het seksueler geworden was met iemand van wie ik dezelfde blik op mij verwacht zou hebben als ik op hem geworpen had. Mijn liefde zou in een vonkenregen van jaloerse onzekerheden zijn opgebrand, het zou een duel zijn geweest, een almaar doorknetterende kortsluiting, uitputtend en op den duur ook pointeloos als de degengevechten aan het eind van *Pirates of the Caribbean*.

Iedere geslaagde paarvorming van na de seksuele revolutie is een wonder, maar die tussen twee mannen grenst aan het bovennatuurlijke en moet, om met de dichter Gustaffson te spreken, 'naar het laboratorium voor Zware Mineralen worden gestuurd voor nader onderzoek'.

Ik vraag me af of ik ooit wel naar een naakt mannenlichaam heb gekeken anders dan 'kijkend met haar
ogen'. Onrustig, dus.

Ja, op schilderijen en in films. Ik bedoel echt: kijken,
niet zien, noteren en dan doen alsof je niet kijkt, wat
mij een paar keer per week in het zwembad overkomt,
als ik na afloop met medemannen onder de douche sta.

Laatst sprak ik etser en aquarellist Paul van Dongen, wiens verbluffende kunst uit lichamen bestaat.
Hij etst mannenlichamen en aquarelleert vrouwen. De
etsen zijn letterlijk manshoog, ze worden gedrukt op
een pers ter grootte van een achtertuintje, op muur-
wijde vellen papier. De lichamen zijn altijd naakt, en
altijd is Van Dongens lichaam het model. Ook op een
van zijn laatste dingen zijn zes mannen te zien, zes om
ontferming smekende, handenwringende, hun hoofd
in schaamte of afgrijzen afwendende figuren die op een
onnavolgbare wijze op elkaars schouders gezeten zijn,
waardoor er een soort vlechtwerk van ontredderde poses ontstaat. En alle zes de mannen hebben hetzelfde
lichaam: dat van Paul van Dongen. Dat ik overigens
nog nooit anders dan geëtst heb gezien, hij is een uitgesproken gekleed mens.

De kunstenaar vond het belangrijk dat ik de ets 'op
de hand' bekeek, dat wil zeggen: van dichtbij. Het vel
lag op de vloer van de woonkamer en wij hurkten en
knielden langszij. Het ding mag dan twee meter hoog
zijn, een ets is een ets, dat wil zeggen: opgebouwd uit
dezelfde haarfijne streepjes als waarmee een Gustave
Doré-illustratie van Dantes Hel is gemaakt. Hij had er
drie maanden over gedaan, streepje voor streepje had
hij lichaamsdeel uit lichaamsdeel laten ontstaan, voetbeentje voor voetbeentje, knieschijf voor knieschijf,
testikel voor testikel, biceps voor biceps, wenkbrauw
voor wenkbrauw…

In den beginne was een krasje.

Ik keek letterlijk mijn ogen uit. Maar ik had in het geheel niet de sensatie naar Paul te kijken, terwijl ik hem, als ik even afstand nam om de zes mannen in het totaal van hun compositie te zien, toch echt herkende. In alle zes.

Wat was dit voor kijken?

Paul zei dat hij beslist niet wilde opscheppen, maar hij had, begrijp me niet verkeerd, het gevoel dat hem, op mijn niveau natuurlijk, iets aan het lukken was wat hij bij Michelangelo vaak had gezien: menselijke figuren die, vóór ze geschilderd worden, al gebeeldhouwd leken te zijn. Of geboetseerd.

'Het lichaam moet mannelijk zijn,' zei hij, terwijl hij wees naar een van de minutieuze penissen, waarvan hij zei dat hij de plooitjes rond de eikel met een loep had geëtst – vijf jaar geleden kon hij dat nog met het blote oog –, 'maar ik probeer de pose vrouwelijk te laten zijn.'

De ets heet *Deemoed*, de figuren drukken een onmiskenbare onderworpenheid uit – alsof ze door eigen toedoen in ontreddering verkeren. Ze wenden zich af, van een overmacht, alsof ze liever niet gezien werden, en tegelijkertijd lijken ze zich tot die overmacht te richten.

'Haïti,' zei ik – want het waren de dagen dat de kranten en de tv-schermen gevuld waren met dode lichamen en wanhopige poses. En ik vroeg me ook af of hij met een ets als deze op zijn manier de geschiedenis van de naaktheid becommentarieert – of hij met zijn streepjesevenbeeld niet eigenlijk Adam ongedaan probeert te denken, en hem *zo naakt hij kan* richting Oordeel dirigeert.

Soms drukt een kunstwerk precies dat uit wat je in de werkelijkheid nooit zult kunnen fotograferen of filmen. Mensen die hun aangezicht verbergen achter wringende handen. Je krijgt dan een pose te zien – aangenomen door een naakt lichaam.

Het trof me intussen dat hij precies dat wat *Deemoed* zo sterk en krachtig maakt, 'vrouwelijk' had genoemd. En ik dacht: hij heeft gelijk, het beeld is krachtig omdat het zwakheid uitdrukt. Als de tegenstelling mannelijk-vrouwelijk zin heeft, dan alleen wanneer we naar het vrouwelijke mogen kijken als naar iets wat zich voor onze blik verbergt. Het wil niet naakt en onbeschermd zijn. Dat Paul van Dongen dit aartsvrouwelijke uitdrukt met zijn eigen, zesvoudige, mannelijke lichaam, maakt zijn kunst mannelijk. Want at is dan 'het mannelijke' (waar vanzelfsprekend ook de vrouw die creëert over beschikt) van de ets: niets, maar dan ook niets blijft verborgen voor Van Dongens blik.

Ook door naar naakte mannen van Lucian Freud te kijken ben ik gaan begrijpen dat je het naakte ongedaan kunt kijken. Dat geldt voor zijn mannen én zijn vrouwen, maar omdat ik in het echte leven nooit anders naar mannen kijk dan heel kort, en daarna doe alsof ik niet naar ze kijk, is het langdurige kijken naar Lucian Freudmannen iets bijzonders. Anders dan bij Michelangelo en Paul van Dongen vraag ik me na verloop van tijd niet meer af *wat zij uitdrukken*. Ze worden van verf, en toch zijn ze van vlees. De naaktheid – dat wat me weg had zullen doen kijken – is verdwenen. En toch zie ik een man, een persoon. De ontroering die me in 2008 tijdens de overzichtstentoonstelling in Den Haag overmande (dat is hier nu eens echt het woord), vertelde me iets wat ik vermoedde maar niet wist: ik wil verzoend worden.

Waarmee?

Lang geleden werd er een jongetje geboren. Toen zijn moeder aan de ziener Tiresias vroeg hoe lang hij zou leven, was het antwoord: 'Zolang hij zichzelf niet kent.'

Dit jongetje heette Narcissus. Zijn verhaal wordt door Ovidius verteld in Boek III van de Metamorphosen. Het is meeslepend vertaald door M. D'hane-Scheltema.

Op zijn zestiende verjaardag raakte Narcissus in een bos verzeild. Daar zwierf ook een meisje dat Echo heette. Ze kon, sinds een conflict met Zeus' echtgenote Hera, alleen maar héél kort spreken, en dat dan nog alleen door de laatste woorden van een ander te herhalen. Iemand met zo'n aanhankelijk karakter wordt hartverscheurend verliefd, dat kan niet anders. Zij werd het op Narcissus, maar die sloeg voor haar op de vlucht. Ovidius geeft hier geen verklaring voor – eigenlijk slaat in zijn liefdesverhalen altijd een van beide partijen subiet op de vlucht. Paniek, dat is heel vaak het eerste bij hem.

De versmade Echo wordt van verdriet anorectisch en heel mager, en zij sterft – 'wat rest zijn botten en haar stem'. Maar over de vluchtzieke Narcissus wordt door vriendinnen van Echo een vloek uitgesproken: laat hem even verliefd worden als Echo op hem was, maar 'laat ook zijn geliefde ongrijpbaar zijn'. Als Narcissus vervolgens water uit een roerloze bron wil drinken, krijgt hij nóg een dorst, hij voelt 'begeerte naar iets lichaamloos: wat lichaam lijkt is water'. Wat hij ziet is schitterend, 'alles waarom hij zelf bewonderd wordt, bewondert hij'. Tijdens een heftige agonie beseft hij: 'Ik ben het zelf!' Dit is een van de raadselachtigste zinnen die iemand kan uitspreken.

Het is een hondsverwarrende toestand, en hij roept dan ook: 'O, kon ik nu maar van mijn eigen lichaam afstand nemen!' Vreemde minnaarswens, zegt hij zelf, 'wegwensen waar je naar verlangt'. Ook hij zal wegteren, net zo lang tot er niets meer over is 'van het lichaam waar eens Echo naar verlangd had...'

Volgens Ovidius blijft Narcissus zichzelf 'zelfs in het dodenrijk bekijken in het water van de Styx'.

Narcissus is een van de honderden tureluurs makende verhalen van Ovidius – de schrijver die vanuit het Rome van rond de geboorte van Christus, zo lijkt het, onze eigen tijd op de hak neemt, met haar seksuele ambivalenties, haar erotische vluchtzucht, haar identiteitsverwarringen.

'Ik ben het zelf!' roept Narcissus, en hoe waar het ook is – het is ook helemaal niet waar, want waar hij naar wijst is een spiegeling, een diepteloos niets. En toch is dit het ogenblik dat Tiresias voorzag. Het mortale ogenblik van het zelfbesef, dat, als het erop aankomt, geen kennis brengt maar perplexiteit, en daarna de geeuwhonger, de fantoompijn. Wat je jezelf noemt, is een zeepbel, die uiteenspat zodra je hem wil pakken. Begonnen is voor Narcissus de grote onteigening, het dualisme.

In zijn gedicht over zijn eigen verouderde lichaam, *Lullaby*, schrijft W.H. Auden:

De oude Grieken hadden het mis:
Narcissus is een knar,
door tijd getemd, eindelijk verlost
van zin in andere lijven,
verstandig en verzoend.
(vert. Huub Beurskens)

Narcissus is an oldie, staat er in het Engels. Het is een ouderdomsgedicht; beschreven wordt, niet zonder welbehagen, de feminisering van het verouderende mannenlichaam tot iets babyachtigs – het is alsof de dichter zijn eigen moeder wordt. Weer gaat het vooral om de blik, om de beholder: het lukt Auden om, dankzij de vermurwing van de (mannelijke, metende, benijdende) begeerte, het lichaam tot iets koesterenswaardigs om te denken. Het is alsof hij ergens van verlost is.

Waarvan?

In het laatste couplet zegt hij dat hij, of beter: dat zijn 'verwoordende ik' zónder die moederlijke blik op zichzelf algauw:

een vuige despoot wordt,
wellustig, maar niet tot liefde in staat,
hooghartig, statusgeil.

Je kunt het paradijsverhaal beschouwen als de monotheïstische, joodse en later christelijke tegenhanger van het Narcissus-verhaal. Ik geloof dat je naar Eva terug moet gaan om iets te begrijpen van Audens werk en zijn denken, dat op een dichterlijke manier het mannelijk lichaam op zijn plaats probeert te zetten. Audens seksualiteit is gericht op mannen, toch beschouwt hij zich fundamenteel als christelijk. Hij is dol op Ovidius, maar ook aan Narcissus geeft hij een eigen, je zou haast zeggen Bijbelse draai. Wat me treft is dat Auden weliswaar verlost of verzoend wil worden, maar juist níét van zijn lichaam. *Lullaby* is een ode aan het lichaam – zij het een zich bedarend, bejaard lichaam.

Je ontkomt niet aan de indruk dat de goden van Ovidius Narcissus juist straffen met zijn (spiegelende) lichaam. En ook dat van Echo – zij moet haar lichaam verliezen omdat een godin er jaloers op is. En zo vergaat het ook Narcissus zelf: de vriendinnen van Echo vervloeken Narcissus' begeerte, waardoor zijn lichaam een sadistische vijand wordt. Je zou kunnen zeggen: de oorspronkelijke, mythologische Narcissus van Ovidius is manicheïstisch. Dit is onhistorisch: de (monotheïstische) leer van Mani ontstond pas twee eeuwen na de dood van Ovidius. Toch is het verhelderend om de mythische Narcissus even een manicheeër te noemen. Zijn lichaam is verraderlijk en wordt zelfs hatelijk. Hoe begoochelend mooi het ook is, het is ook de oorzaak van zijn ellende. Hij moet er vanaf.

De manicheeërs geloofden in één God – maar anders dan joden en christenen geloofden zij dat de schepping, de materie (en dus ook het lichaam) een tégengod was. Gelukkig was er in mensen ook iets van het goede goddelijke geweven. Dat was de geest, 'een scherf Licht', die zich dus in een vijandige omgeving ophield: het lichaam. Op de brandende kwestie waar het kwaad vandaan komt, hadden de manicheeërs dus een helder en overtuigend antwoord: het lichamelijke (materiële, vleselijke) is de bron van het boze.

Wonderlijk genoeg is dit een uitgesproken eenentwintigste-eeuwse gedachte. Zoals de aanhangers van Mani hun lichaam onderwierpen aan masochistische oefeningen van ascese, zo proberen eenentwintigste-eeuwse mensen hun lichaam als het ware klein te krijgen met diëten, pijnlijke chirurgische ingrepen en onhaalbare esthetische dwangbevelen. Ze kijken in de spiegel en zien iets wat tegenwerkt en wat onderworpen moet worden. Ze dagen hun lichaam uit om er een overwinning op te boeken.

Het voordeel van dit dualisme, dat geest en lichaam rücksichtslos van elkaar scheidt, is dat je op een bepaalde manier altijd aan de goede kant staat. Je bent je eigen goodguy. Voortdurend treed je op tegen het kwaad: je ongehoorzame lichaam. En als je naar andere mensen kijkt, kun je ze helder veroordelen – zoals hondenafrichters elkaar meten naar de mate waarin ze hun dier eronder weten te houden.

Auden, die overigens van zichzelf gezegd heeft dat hij er meestal 'uitziet als een onopgemaakt bed', ziet niets in een dergelijk dualisme. Hij weigert te geloven dat als er een Schepper zou zijn, Hij het lichaam, en dus: zoiets vitaals voor het lichaam als seks, zou beschouwen als een vijandige macht tegenover Hem, waarmee Hij op voet van oorlog zou staan. Niet het lichaam, niet de begeerte, niet de lust en de seks zijn als zodanig het probleem, maar juist de goodguy: de menselijke geest. We hebben lichamen om de liefde, die het goddelijke is, te communiceren: 'Welk werk van liefde zouden we kunnen doen zonder lichaam?' vraagt Auden. Als we inderdaad geschapen zijn 'naar Gods evenbeeld', dan betekent dit dat we vrij zijn – net als God.

Maar vrij zijn we alleen als we kunnen willen wat we eigenlijk niet willen. Bijvoorbeeld: de eerste de beste appel eten waarvan we weten dat we die niet moeten willen eten. Het is uiterst diepzinnig dat het in allereerste instantie om een onbeduidende daad gaat. Het paradijs barst van de vruchten. Ze zijn allemaal paradijselijk lekker. Honger heeft Eva ook niet. Het enige wat haar naar de appel drijft, is dat zij hem niet moet willen plukken. Lichamelijker kan het verhaal niet verbeeld worden – het gaat om eten, om iets wat opgenomen zal worden door het lichaam in het bloed. Om iets nóg primairders dan seks.

En toch volgen de plagen eruit, de schaamte, de naaktheid, het zondebesef, die manifestaties zijn van de eenzaamheid, van het door een gebroken belofte gebroken hart, van de afstand tot God. Zodra de mensen in ballingschap zijn (zoals Vondel het noemt), is het eerste wat ze beleven dan ook hun lichaam. Het is het beste wat ze hebben, maar ze beseffen nu ook de onherroepelijke sterfelijkheid ervan. De onbeschermdheid. Ze hebben, zolang Gods genade zich niet doet gelden, alleen elkaar – en dat is het tweede wat hun ballingschap hun brengt: de liefde van mensen voor mensen, en het besef daar existentieel afhankelijk van te zijn geworden. En ze leren begrijpen dat die liefde goddelijk is, hoe krakkemikkig ze haar ook bedrijven.

Eva en Adam zuchten, als het te laat is, hetzelfde als Narcissus: 'Nu ken ik mijzelf.' Maar Narcissus voelt zich niet naakt. Dat is niet de categorie waarin Ovidius denkt. Eva en Adam wel. Sterker nog: in het joodse scheppingsverhaal wordt de naaktheid om zo te zeggen uitgevonden.

Ik ben ervan overtuigd dat als 'naaktheid' niet de verborgen agenda was, de gesprekken in dit boek een andere teneur gehad zouden hebben. Alles wat we zeggen over ons lichaam, of we het nu koesteren of moederlijk beschouwen, of het, gekrenkt, haten – we vrezen de ballingschap, die ons naakt doet zijn, en we verlangen naar liefde, die onze naaktheid opheft. En wat is liefde als er geen lichaam is om het aan te geven, en geen lichaam om het mee te ontvangen.

En Omi? Ach Omi, moeder van mijn moeder. Zij buigt zich in wat inmiddels mijn nieuwe 'eerste herinnering aan mijzelf als lichaam' is, over mij heen. Ik lig op mijn rug op een bed dat ik mij herinner als zich bevindende in de logeerkamer van Omi's huis in Amstelveen. Bijna vijf ben ik. In mijn herinnering is mijn broertje – vermoedelijk net drie – niet aanwezig. Het is avond en toch licht, ik ben wakker gemaakt, of wakker geworden. Hoe ik in deze positie terecht ben gekomen, weet ik niet, ik ben bloot.

Ik ben lang een bedplasser geweest, tot in de eerste klas lagere school. Mijn moeder heeft me later gezegd dat zij gedacht heeft dat het met de scheiding te maken had. Ze zouden pas op mijn negende officieel uit elkaar gaan, maar mijn moeder zal redenen gehad hebben om het verband te leggen tussen het bedplassen en de spanningen die zij en mijn vader zo goed mogelijk probeerden te verbergen. Ik herinner me die niet, geen geschreeuw of gegooi. Ik weet niet of mijn moeder gemerkt heeft dat ik merkte dat zij vaak lang en roerloos in de vensterbank van het straatraam in Amsterdam-Zuid zat te wachten.

Volgens mij was Omi de logeerkamer binnen gegaan om te kijken of ik geplast had.

Ik had geplast.

Ze had me, als een baby, m'n pyjamabroek uitgetrokken en nu werd haar aandacht getrokken door iets. In het midden. En ze boog zich voorover. *Kassian*, zei ze. Kassian. Ze stond op en kwam terug met een washandje en een aluminium bus die ik wel kende – talkpoeder.

Ik wist waarom ze kassian had gezegd. Dat betekent zoiets als 'och arme'. Mijn piemel en lies waren helemaal rood. Ik wist ook waarvan: van het wrijven. Dat deed ik – het was wrijven alsof ik jeuk had, zonder hoogtepunt. Net zo lang tot ik in slaap viel.

Omi zei niets. Wel neuriede ze terwijl ze me met het washandje waste. Ze neuriede toen ze een wolk talkpoeder uit de bus schudde. Ze onderbrak haar neuriën toen ze zich nog verder vooroverboog en haar hoofd naar mijn piemel bracht. En ze kantelde haar gezicht en legde, heel even, haar oor neer op mij. Daar. En liet het liggen.

Trusten, zei ze toen ze overeind kwam en het laken en de deken over mij terugschoof.

Willem Jan Otten, januari 2010

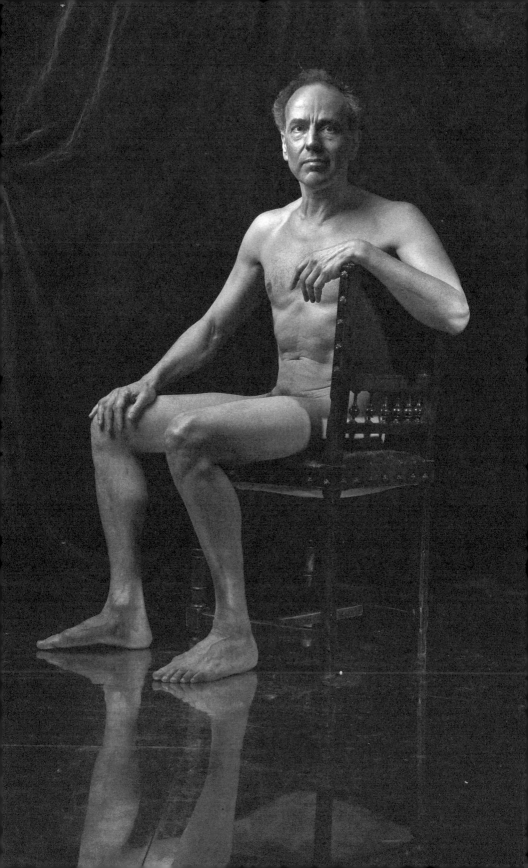

ED SPANJAARD (61)

De Nederlandse dirigent en pianist Ed Spanjaard werd geboren in 1948, en is dus op het moment dat wij hem spreken officieel een zestiger. Dat is ook wel aan zijn carrière af te lezen (assistent geweest van Von Karajan en Haitink, nauw samengewerkt met het Nederlands Blazers Ensemble, en ten tijde van ons gesprek druk doende *Das Rheingold* van Wagner uit te voeren), maar lichamelijk is Spanjaard eerder springerig en rank dan bezadigd.

Midden in het gesprek staat hij op om een video te laten zien waarop hij de opera *La vida breve* van Manuel de Falla dirigeert – een vroeg twintigste-eeuws werk, waarin ook een rauwe flamencozanger en een gitaar te horen zijn.

Spanjaard voor het orkest, op de bok, en vlak vooraan zien we een oude vrouw die – als enige in het publiek – rechtop staat, pal voor het podium.

'Da's mijn moeder,' zegt Spanjaard, toch wel aangedaan. 'Ze is vrijwel blind.'

Dan pas zien we de blindenstok waarop de vrouw steunt.

Dit is het beeld van de trotse moeder, die hoe dan ook de verrichtingen van haar zoon wil volgen, maar dan ineens volgt een scène waar in ieder geval het publiek niet op gerekend heeft, gezien het 'ooh' en 'aahhh' vanuit de zaal.

Ed Spanjaard springt van de bok en danst zo'n twee minuten lang de flamenco – alleen, begeleid door zang & gitaar. Dat doet ie overtuigend. Later horen we dat ie al tien jaar flamencoles heeft.

Zijn moeder drukt haar neus zowat tegen de ballustrade om vooral toch geen beweging van zijn voeten te missen.

'Het was haar idee, dat dansen,' zegt Spanjaard.

De geconcentreerde aandacht van moeder en zoon spat zowat van het scherm.

Dan zet Ed Spanjaard de video uit en loopt – er is geen andere omschrijving voor – met een rechte Spaanse rug terug naar zijn stoel in de zitkamer.

Ik ben geboren in een muzikaal, joods gezin, net na de oorlog. Maar volstrekt geloofloos, religie speelde geen rol, mijn vader was niet eens besneden. Muziek, kunst in het algemeen: dat deed ertoe. Mijn vader was psychiater, maar speelde in zijn vrije tijd echt goed piano, zeker voor een niet-prof. Mijn moeder: fluit. Hun kunstenaarsvrienden kwamen bij ons over de vloer en als kind begreep ik al vroeg dat voor mijn ouders je salaris en je maatschappelijke status niet het belangrijkst waren. Je artistieke en intellectuele ontwikkeling – die was de echte maatstaf.

Thuis was er voor mijn gevoel altijd muziek; ik kan me herinneren dat Mozarts pianoconcerten diepe indruk op me maakten. Wat zal ik zijn geweest? Vijf, zes jaar, hooguit.

Ik was dus een muziekjongen, vanaf mijn zesde had ik pianoles en zat per dag minstens anderhalf uur achter de vleugel. Ik hoefde niet achter de broek gezeten te worden, nee, dat deed ik uit mezelf. Ik wilde niet anders.

Misschien was ik geen typisch stoer en sportief jongetje, maar eerlijk gezegd speelde dat toen helemaal niet. Ik ging naar de montessorischool in Haarlem en kan me niet heugen dat ik ooit werd gepest vanwege mijn muzikale interesse. Ik bedoel: het was geen tijd waarin jonge kinderen elkaar afrekenden op merkkleding en dat soort dingen. Er waren niet eens boetieks.

Sport: mocht geen naam hebben. Ik hield mij behoorlijk goed staande aan de pingpongtafel. En dan was er nog de stoelendans. Als de muziek ophield moest je van stoel wisselen. Reactiesnelheid, die had ik, dat merkte ik toen en dat merk ik nog steeds als ik autorij en optrek voor het stoplicht.

Ik werd ook niet gestimuleerd om me sportief te bekwamen. Niemand heeft mij ooit gezegd: ga jij nou es voetballen. Ik hield wel van zwemmen, maar was ook bangelijk: duiken vond ik eng.

Maar er waren natuurlijk wel de zintuiglijke sensaties. Een vakantie naar Texel, de zee, het zanderige, het zoute water. Ik kan nu nog voelen hoe strakgespannen mijn huid toen was.

Ik viel op jongens, althans, ik was me vagelijk bewust van de aantrekkingskracht die het mannelijke lichaam op mij uitoefende, maar het duurde toch nog tot mijn achtentwintigste voor ik mijn eerste echte vriendje kreeg. Ik was studeerderig, altijd met muziek bezig, dat moet een deel van die lichamelijke onrust hebben opgevreten.

Ik herinner me iets, ik zal toen tien geweest zijn. In ieder geval zo'n leeftijd dat je niet precies weet wat homoseksualiteit is en wat dat eventueel met jezelf van doen zou hebben. Maar toch, een intuïtie. Een zeventienjarige jongen, in mijn ogen dus echt veel ouder, gaf mijn vader als dank voor het een of ander een tekening van een ballerina en achteraf gezien kon je dat niet het toppunt van de heterogerichte, mannelijke interesse noemen. Het was ook nog iets pastellerigs, die tekening. En ineens wist ik dat die jongen misschien wel homo was… of hoe ik dat toen ook noemde. In een flits begreep ik dat die jongen en ik iets gemeen moesten hebben. Zo'n ontdekking die aan de woorden voorafgaat.

Is me bijgebleven, veel langer en diepgaander dan je op grond van de terloopsheid van die scène zou verwachten.

Ik ging wel met vrouwen om, ook amoureus, maar dat vond ik beklemmend, het beroep dat ze op me deden en dat ik niet volledig waar kon maken.

Toen ik mijn eerste vriend thuis introduceerde, ik was gek op die jongen, stapelgek, ziel en lichaam, waren ze stupéfait.

Hadden ze van mij nooit gedacht.

Mijn moeder had meteen twee vragen voor hem in petto:

a. Waren ze bij jou thuis antisemiet? (Het verbaasde me toch nog hoe diep dat zat.)

b. Hou je van Ed omdat ie een beroemd musicus is (althans, ik was hard bezig om dat te worden)?

Het antwoord was tweemaal nee, en toen was het wat haar betreft prima.

Een jaar na mijn flamenco-optreden is mijn moeder overleden, in 2006. Zij is eigenlijk de belangrijkste persoon geweest die me tot lichamelijkheid aanspoorde. Ze roeide vroeger graag. En danste ook goed. Pas veel later, toen ik flamenco ging dansen, zag ze dat ik ook dat ritmegevoel had. Ik denk altijd dat ze het over het hoofd heeft gezien toen ik nog een kind was. Vandaar waarschijnlijk ook haar enthousiasme, toen ik op latere leeftijd ging dansen. Ik merkte zelf dat het in me zat, dat mijn lichaam een ritme kon overnemen, uitbeelden, als een instrument. Dat dansen tijdens *La vida breve* was iets waarop mijn moeder vooral had aangedrongen. Ze stond erop dat ik van die bok zou springen, en ze was zo trots na afloop. Zo trots heb ik haar nooit meer gezien.

Voor mij bestaat er een ideale, lichtvoetige omgang met het lichaam, mijn lichaam, en dat ideaal wordt voor mij verbeeld door een vakantie op Korfoe. Weer: het strand, de zee, de mensen die in die hippiesfeer half-naakt liepen, en vanzelfsprekend het lichaam 'droegen' dat ze hadden.

Natuurlijk: iedereen was jong, niemand was dik of gebrekkig. Dan kost vanzelfsprekendheid geen moeite.

Toch ben ik die tijd en dat beeld blijven koesteren. Ik ben geen man die valt op een grote vent met enorme spieren. En toch heb ik mijn 'lichamelijk ontwaken' om het maar poëtisch uit te drukken, vooral te danken aan de fitnesscultuur die eerst in Amerika begon, en later naar Europa overwaaide.

Voor mij waren lessen aerobics die ik in de VS voor het eerst volgde een eyeopener. Het echte krachtpatsen, met gewichten, verveelt me snel. Maar zodra er beweging aan te pas komt, ritme, lijkt het wel alsof het lichaam plezier krijgt in zijn eigen onderhoud. Ik heb veel grote balletten gedirigeerd, ook nog met Nurejev, en ben in die zin vertrouwd met choreografieën. Het komt er – ook bij het dirigeren – op aan de choreografie te vinden die past bij jouw lijf, jouw persoonlijkheid.

En dan is er natuurlijk de constante in mijn leven: de muziek, die voor een belangrijk deel op zintuiglijkheid is gebaseerd. Het dirigeren was voor mij een ontdekking: het is zoveel fysieker dan pianospelen, je hele lichaam staat daar instrument te wezen om het orkest te leiden.

Het mooiste vind ik iets groots te laten ontstaan met kleine, subtiele bewegingen en aanwijzingen, zonder gewelddadig te zijn. De clou is de orkestleden uit te nodigen het allerbeste te geven wat ze in huis hebben, zonder het grote machtswoord te hoeven spreken.

Ik heb een aantal jaren last gehad van een hernia: ineens is je ranke, springerige zelf dan verdwenen, en word je een man die een lichaam achter zich aan sleept.

Ik ben daarom ook aan yoga gaan doen en tai chi: dat heeft niet langer dan twee jaar geduurd, maar het leerde me wel op een andere, meer naar binnen gerichte manier mijn lichaam te ontdekken en te onderhouden. Zoals ik een hekel heb aan gewelddadig dirigeren, zo heeft yoga mij de gedisciplineerde zachtzinnigheid geleerd waarmee je ook aan lijfsbehoud kunt doen.

Ik ben nu officieel een zestiger en vind mijn lichaam heel acceptabel. Daar doe ik ook wat voor: regelmatig naar de sportschool voor fitness, eens in de maand naar de sauna om vooral even niets te doen – te liggen, te zweten en door te ademen.

Het heeft bij mij wat langer geduurd, maar ik sta nu op betere voet met mijn lichaam dan als tiener of twintiger. Het seksuele is minder belangrijk geworden, maar het lichamelijke welbehagen blijft; kunnen genieten van je eigen lopen, bewegen, moeiteloos een trap nemen.

Het woord 'mooi' zal ik over mezelf niet in de mond nemen, dat ontsnapt niet aan mijn lippen. Misschien wel het leukste compliment kreeg ik van Hedy d'Ancona (oud-minister, geliefde van Aatje Veldhoen), die ik pasgeleden op straat tegenkwam toen ik op weg was naar de sportschool, met de fitnesstas op mijn rug.

'Heel goed,' zei Hedy toen ik vertelde waar ik naar op weg was. 'Je moet het een beetje bijhouden, Ed, als je zo beeldig wilt blijven als jij bent.'

Kinderachtig misschien, maar oei... wat gaf dat een voldoening.

ORHAN BUCAKLI (30)

Als we de band terugluisteren met daarop het verhaal van Orhan Bucakli, zouden we zelf bijna geloven dat hier een geboren en getogen Brabander aan het woord is, met een Heilige Communie achter de rug. Dat komt niet alleen door Orhans tongval, die meteen doet denken aan Merijntje Gijzen en het rijke roomse leven beneden de rivieren, het is ook de gemoedelijke dorpssfeer die je tegemoet wasemt, ouwe jongens krentenbrood, eens in het jaar carnaval en dan alle remmen los.

Maar wie Orhan Bucakli in beeld krijgt, ziet meteen iets buitenlands aan hem, iets Turks of Arabisch misschien wel. Flinke kerel, flink behaard ook, dik zwart haar. Ogen, die smeken om het cliché 'Scheherazade-achtig'.

De eerste indruk is: een echte macho. Wie iets beter kijkt en luistert, ziet en hoort een jongensachtige man, die maar niet lijkt te kunnen besluiten of hij zelf de Echte Man wil zijn of toch meer naar de Definitieve Man op zoek is.

Na ons gesprek met Orhan Bucakli volgde een kleine explosie aan media-aandacht. Een interview in de *Volkskrant*, een tv-portret, grote homofeesten, waaraan hij zijn naam verbindt, en een boek over zijn leven, dat eraan staat te komen. Achteraf blijken wij de eerste stop in wat je met recht een coming-out mag noemen, op alle mogelijke fronten: als homo, als Turk, als vader, voormalig getrouwde man, als liefhebber van de zogenoemde bearscene ook.

Orhan Bucakli heeft de wereld iets te vertellen, en omdat zijn geschiedenis vol zit met scherpe contrasten, en zijn verschijning niet anders dan foto- en tv-geniek te noemen is, vinden zijn woorden gretig aftrek.

Hij lijkt de verpersoonlijking van alle etnische en culturele dilemma's waarmee Nederland zich de afgelopen tien jaar obsessief heeft beziggehouden. Bucakli: de perfecte illustratie van een decennium aan ideeëngeschiedenis en ideeënstrijd.

Maar daarnaast is en blijft er het persoonlijke verhaal, dat vol zit met politieke ondertonen, maar dat zich niet laat reduceren tot een simpel schema volgens het bekende stramien westers, niet-westers, of de moslimwereld versus de seculiere.

O ja, het is moeilijk op papier te horen, maar u moet weten: Orhan beschikt over een aanstekelijke, hoge lach, een giechel bijna, die hij vaak laat horen en die de stoere, harige, mannelijkheid meteen relativeert.

In 1979 geboren in Uden – kun je dat echt horen? Klink ik zo Brabants?

Wij waren de Turken daar, we gingen niet om met de Nederlanders, die er in de meerderheid waren. We hielden het bij de Turkse gemeenschap, die klein was maar hecht. Heel hecht. Iedereen wist alles van elkaar. Je kon ruzie met ze krijgen, dat gebeurde natuurlijk vaak, maar als het erop aankwam, als er heibel was met Marokkanen of met Nederlanders, wist je wie je moest verdedigen. Je mede-Turken. Turkije.

Eigenlijk, nu ik andere verhalen ken, waren ons pa en ons ma helemaal niet zo conservatief. Ja, als kind moest ik twee à drie keer in de week naar de moskee, maar mijn moeder bijvoorbeeld was niet gesluierd.

Ik herinner me de Koranlessen vooral zo goed omdat de imam je op de handen sloeg met een rietje als je iets niet wist. Ik wist het vaak niet.

Ik was mijn vaders oogappel, ik was stoer en sportief als jongen en ik zeurde niet. Nooit gedaan. Gewoon, lol maken met de andere jongens. Andere Turkse jongens, dus dat was prima.

Totdat er van de ene op de andere dag een broer uit

Turkije overkwam, die ik eigenlijk niet echt kende. De zoon uit het eerste huwelijk van mijn vader.

M. was zestien, heel mannelijk, en agressief, heel gemeen ook, een echte Turk. Ja, echte Turkse mannen zijn gewelddadig en schuwen niks om hun zin te krijgen. Dat is echt zo.

Ik keek naar M. op, maar raakte ook helemaal in de war. Want dit is wat ik ook moest worden: een echte Turkse man.

M. zette iedereen in ons gezin tegen elkaar op, er waren dagelijks ruzies en ik had het idee dat ik de vredesstichter moest zijn. Ik kan me herinneren dat mijn vader toen tegen me zei: 'Jij Orhan, bent de enige van het hele stel die het niet zal redden. Jij bent te lief, geeft te veel weg en houdt alleen maar rekening met anderen.'

Ik vond het erg dat hij dat zei, maar het was wel waar. Ik kan geen nee zeggen.

Ondertussen zat ik op de lts en ineens was er iets veranderd. Op de lagere school was ik de rare, lelijke jongen geweest met een gekke neus en een lichaam dat nog moest groeien, maar plotseling wou iedereen iets met me. Jongens wilden mijn vriend worden, meisjes deden hun best met me uit te gaan. Ik werd niet meer gepest, ik kreeg de leiding, ze keken naar mij op.

Ik begon ook veel aandacht te besteden aan mijn kleding, en ja: ik zag dat ik aantrekkelijk was voor anderen. Ik vond mezelf niet mooi. Dat gebeurde pas veel later, zo rond mijn zevenentwintigste. Toen ik een baard liet staan.

Ik voetbalde toen fanatiek. En ik voetbalde goed. Het zag er echt naar uit dat ik profvoetballer kon worden. Ik zat bij FC Den Bosch, bij de jeugd, en ik zou in het eerste komen. Dat betekende betaald voetbal... en tsja, toen liep ik van huis weg. Alle kansen verspeeld. Maar voetbal was voor mij belangrijk, het maakte me in de ogen van anderen natuurlijk ook een echte vent.

Ja, ik ging met meisjes uit, ik was een flinke versierder. Juist het spel van verleiden en opgeilen, dat vond ik geweldig. Vind ik nog steeds.

Maar ik wilde niet met ze neuken. Ik wilde ze veroveren, ik wilde macht over ze, ik wilde dat ze me bewonderden en dat iedereen wist dat de meisjes voor mij in de rij stonden.

Ik wist dat ik gay was. Zag ik een mooie man, een oudere Turk, flink behaard, dan dacht ik: 'Kut, wat een geile vent.'

Fantaseren. Masturberen. En als ik het met een meisje deed, dacht ik aan die grote, harige borst.

Maar net zo goed schold ik samen met mijn Turkse vrienden homo's uit, achteraf gezien om mezelf beter te kunnen verbergen. Natuurlijk voelde ik me daar ongemakkelijk bij. Maar ik wist niet wat ik anders moest doen. Ik wist niet beter. Het ligt ook aan Turkse ouders: ze voeden hun kinderen heel slecht op.

Ja, dat durf ik zo algemeen te stellen, want ik heb het vaak gezien. Ze laten hun kinderen, en dan vooral hun zonen, te veel hun gang gaan. Weet je hoeveel kinderen gewoon zonder brood naar school worden gestuurd? Echt, dat is heel gewoon bij Turken. Zelfs de jongsten mogen tot heel laat buiten blijven. Als ze maar uit huis zijn, dat is lekker makkelijk. Ons pa en ma hadden geen idee waar ik was, wat ik deed. Als ik ze maar niet te schande maakte. Dat was het enige wat ze interesseerde, en als dat wel gebeurde kreeg je slaag van je vader.

En terugslaan mocht niet. Terugslaan mocht nooit. Ik was eerder van de lts gegaan, werkte in Eindhoven, en toen kreeg ik het aanbod van mijn vader om tien dagen naar Turkije te gaan. Vakantie.

Ik had kunnen weten wat erachter stak, maar ik was impulsief, dat ben ik nog steeds. Ik kon alleen maar denken: tien dagen vrij, tien dagen geen werk. Tien dagen lang hoefde ik mijn verdiende geld niet in te leveren bij ons pa.

Ik was achttien en werd naar een familie in Turkije gestuurd die bevriend was met mijn ouders. Best een moderne familie in Ankara, waar mijn moeder vandaan komt. Daar was een meisje, hun dochter even oud als ik. Vond haar meteen leuk, we gingen samen uit, hoop lol. En ik wist dat ik nu met haar zou moeten trouwen, want we waren samen gezien, ik had haar gekust, dus nu was zij bezet en niet meer vrij om met andere mannen om te gaan.

Ik wist het, maar ik wilde er niet aan denken.

De volgende dag was het Hennafeest, de officiële verloving, en binnen vier dagen waren we getrouwd. Zo was het gepland... en zo gebeurde het ook. Ik ging met haar naar bed, haar vlies moest breken, bloed op de lakens, daar wachtte de familie op. Ik wilde dat ik haar wilde neuken, ik wilde vooral dat zij mij wilde, dat ze me als een echte man kon zien. Maar het kostte veel moeite. En de echte penetratie, daar was niets aan.

Ze hebben het wel eens over een *cockteaser*. Ik ben misschien een *cuntteaser*, ik vind het fijn als vrouwen me willen. Al val ik zelf op mannen, dus.

Pas in het vliegtuig terug raakte ik in paniek. Ik was getrouwd. Zij zou een half jaar later bij me intrekken. Ik kreeg een gezin, ik moest daarvoor zorgen, ik was in één klap mijn jeugd kwijt.

Ik belde in dat halfjaar niet met N. Ik had helemaal geen behoefte aan contact. Ik probeerde van me af te zetten wat er was gebeurd. Vaak uit met vrienden, veel andere meisjes. Mijn vader had het door, ik kreeg op mijn lazer. En verder probeerde ik het hele gedoe uit mijn hoofd te zetten met voetbal en met kickboksen. Ik knokte alle verwarring van me af.

Maar N. kwam natuurlijk wel, met hoge verwachtingen zelfs, want ze geloofde werkelijk dat Nederland het paradijs was. Ze trok bij mijn ouders in, sprak natuurlijk geen woord Nederlands, en ik moest de liefhebbende echtgenoot zijn. Ik kon het niet, ik vluchtte weg, nachten uit met vrienden: zij bleef maar huilen, ik kwam nauwelijks thuis.

Natuurlijk was ze in verwachting, kregen we een baby, maar toen haar vliezen braken was ik ergens anders. Ik schaam me daar nog steeds voor. Ik heb die vrouw slecht behandeld. Ik was een Turkse potentaat, ze moest doen wat ik zei, die en die jurk dragen omdat ik vond dat die haar het beste stond. Ik walgde van mezelf.

Op een dag kwam ik thuis en bleken alle meubels weg. Mijn ouders hadden een ander huis gevonden voor zichzelf en al hun spullen meegenomen. Het was kaal, er moest meubilair komen, en ik, als kostwinner, moest daarvoor zorgen.

Er kwam een tweede kind, een meisje dit keer, een huilbaby ook nog, en mijn ouders hadden zich van ons afgewend, ze wilden ook niet op onze kinderen passen.

Slaande ruzies. Drama. We waren kinderen die kinderen hadden gekregen.

Ik had werkelijk geen idee hoe ik me staande moest houden.

Ik fantaseerde steeds vaker over sterke Turkse mannen die voor mij zouden zorgen. Die mij zouden domineren. Ik was zo moe altijd de man te moeten spelen.

Via internet kwam ik op een gaysite terecht en daar zag ik een foto van W. Ouder, flinke baard en snor. Ik was zeker niet meteen verkocht, maar sprak wel met hem af in Amsterdam. Hij zoende me, nam me mee naar zijn huis aan de Leidsegracht en beval me op bed te gaan liggen. Ik vond het zo vreemd. Ik vond het zo opwindend. 'Doe je shirt uit,' zei W. 'Trek je onderboek uit. Waar denk je aan?'

Ik had zoiets nog nooit meegemaakt, ik kon alleen maar denken: kut, pak me, neem me.

De eerste keer dat W. me neukte, heb ik gehuild. 'Laat je me nu nooit meer in de steek?' heb ik gevraagd. Ik bleef een paar dagen bij hem, het was rond de kerst. Ik wilde niet terug naar Uden, maar op een gegeven moment kon het niet anders.

Ik vertelde N. niks. Ja, dat ik met vrienden naar Amsterdam was geweest.

Na twee weken hield ik het niet meer uit, ik moest terug naar W., naar Amsterdam, en ben toen eigenlijk bij hem ingetrokken.

W. wist dat hij mijn eerste liefde was. Ik was geil in zijn ogen, want een getrouwde man, vader, een Turk die kickbokste en voetbalde, en een maagd.

'Jij bent mijn ventje,' zei hij tegen me, en voor het eerst van mijn leven had ik het gevoel dat iemand voor me zorgde. Dat ik mezelf niet hoefde te redden.

N. was ervan overtuigd dat ik een andere vrouw had, daar in Amsterdam, maar na een paar weken heb ik haar naar het huis van W. laten komen en tegen haar gezegd: 'Dit is mijn vriend, ik weet dat het gek voor je is, maar met deze man wil ik leven.'

Ze heeft lang geweigerd het te geloven. Je kunt het niet aan mij zien, ik was en ben geen typische nicht.

Ik liet mijn baard staan, voor W., ik onthaarde mijn

lichaam niet meer, werd 'beerachtig'. En voor het eerst voelde ik me mooi, echt mooi, ook vanbinnen. Ik ontdekte mijn lichaam, ik ontdekte waar ik seksueel van hield.

Vanuit Uden kwamen dreigtelefoontjes van mijn familie, maar ik voelde me veilig bij W. We liepen altijd hand in hand, waar we ook naartoe gingen. Ik kende tot dan toe geen romantiek, dit was romantiek, ineens begreep ik wat ik al die tijd gemist had.

Het was een wilde scene waar ik in terechtkwam. Veel drank, coke, fistfucken, dildo's, de leer-, bearscene. Ik was W.'s boy. Vooral het cokegebruik liep uit de hand, W. werd er achterdochtig van. Als hij naar zijn werk ging, mocht ik het huis niet uit, en als ik boodschappen wilde doen bij de AH, moest ik hem bellen om toestemming te vragen. Binnen tien minuten belde hij dan of ik alweer terug was.

Mijn geld van de uitkering kwam op zijn bankrekening. Ik raakte steeds meer opgesloten, ingesloten. Het heeft zo'n drie jaar geduurd dat ik als een *kept boy* op die etage zat op de Leidsegracht. Op het laatst werd onze verhouding ook gewelddadig: W. veranderde sterk als we veel coke hadden gebruikt, hij wist zeker dat ik vreemdging en kon me dan flink raken.

Driemaal ben ik naar de politie geweest, driemaal heb ik mijn verklaring van mishandeling weer ingetrokken. Ik kon niet zonder W. – ook al sloeg hij mij, en sloot hij me op.

Ja, nu je het zegt: eigenlijk leidde ik het leven van een Turkse vrouw die niets mag van haar man. Ik begreep toen pas goed wat ik N., mijn ex, had aangedaan. Uiteindelijk is het me gelukt met W. te breken.

Ik vond A., weer via het internet, die als een vader voor me zorgde en me ook van mijn cokeverslaving af heeft geholpen. Weer sta ik onder toezicht, want A. is bang dat ik naar de coke grijp zodra ik alleen de stad in ga.

Ik zie hoe goed A. voor me is, maar ik krijg W. niet uit mijn gedachten. Hij is de echte Turkse dominante man, de man van wie ik altijd droomde, al is hij een Hollander.

De eerste keren dat ik seks had met W. sprong ik daarna meteen onder de douche, om alle viezigheid af te spoelen. Ik heb me lang slecht gevoeld, een slecht mens.

Dat is iets minder geworden, maar ik hoop dat mijn zoontje geen homo wordt. Je kunt er uiteindelijk niets aan doen, maar het is toch niet goed. Het is toch niet natuurlijk.

Ik voetbal weer, ga naar de sportschool en ik merk dat ik nog steeds goed in de markt lig. De woeste Turk met zijn baard en lange manen.

Dat ben ik.

Maar ik ben ook de man die zich schuldig voelt, tegenover mijn kinderen, tegenover mijn ex-vrouw, dat ik homo ben.

Het is zo, maar ik zou nooit voor homoseksualiteit kiezen.

PAUL SCHEFFER (55)

Als je Paul Scheffer via Google op het spoor wilt komen, moet je kiezen tussen 'P.H.M. Scheffer (1948) sinds 2006 burgemeester van de VVD (sic) in Harlingen' en 'prof.drs. P. J. Scheffer (1954) publicist en prominent lid van de PvdA'.

Die laatste spreken we, de 'prof.drs.', een combinatie die veelzeggend is, want Paul Scheffer is wel professor (buitengewoon hoogleraar op de Wibautleerstoel voor grootstedelijke problematiek, aan de Universiteit van Amsterdam) maar niet gepromoveerd. Dat is tekenend voor het gezag dat hij zich verwierf, vooral te danken aan zijn essay *Het multiculturele drama* uit 2000 en het lijvige boek *Het land van aankomst* (2007), maar ook tekenend voor Scheffers reserve ten aanzien van alles wat helemaal comme il faut is, van pak en das tot doctorstitel.

Hij zal tot in eeuwige dagen wel aangeduid blijven als 'prominent PvdA-lid', als die partij althans zo lang blijft bestaan, maar een zelftypering is dat niet. Scheffer heeft zijn blik van de partijpolitiek definitief afgewend naar de essayistiek, waarin hij zich weliswaar manifesteert als een politiek denker, maar niet als een politicus.

Zijn grote, vroeg grijs geworden krullenbol heeft zich ontwikkeld tot zijn handelsmerk, en daaronder is er dat gezicht, waarin het jongensachtige en het professorabele om de voorrang strijden.

Er wordt veel gegniffeld tijdens het gesprek, Scheffer schuwt de ironie niet, en heeft bovendien de neiging al zijn stellige uitspraken meteen te willen relativeren.

Gelukkig heeft het 'ironieteken' nooit ingang gevonden en mag de lezer nog steeds zelf voor goede verstaander spelen.

Vanaf mijn vierde, zo ongeveer, kan ik me herinneren dat de mensen mij wel een lief jongetje vonden. Ik merkte dat aan de reacties die ik als kind opriep: het meest opvallende was kennelijk mijn grote bos krullen, toen nog pikzwart: daar begonnen mensen, meest vrouwen, spontaan aan te plukken. Veel aaien over mijn bol, snel een blijk van genegenheid. Dat haar... daar ben ik blij mee, vooral ook dat het er nog steeds zit.

Ik werd relatief vroeg grijs, toen ik zo eind dertig was, en daar heb ik ook nooit om getreurd, dat vind ik wel bij mezelf passen. Vroeger stond ik ook wel bekend als 'Paulus de Boskabouter' – dat is natuurlijk schattig, maar ook een *mixed blessing*. Altijd het jongetje, er kleefde kennelijk iets poezeligs aan me. En zoals we allemaal weten, kan genegenheid makkelijk omkieperen in neerbuigendheid. 'Ach, die jongen... zo serieus kan ie het niet bedoelen.' Dat werd minder toen die zwarte bos ineens grijs werd. Ik vind het ook niet naar of vervelend om ouder te worden, het al te jeugdige te verliezen in mijn uiterlijk. Mag ik dat nu even afkloppen, op ongebeitst hout, onder de tafel? Want dat ouder worden gaat tot nog toe niet gepaard met gebreken en enge ziektes. Want mijn lichaam doet het, insjallah. Nooit in een ziekenhuis gelegen, behalve dan voor mijn amandelen als kleine jongen. Klop, klop, klop.

Het is natuurlijk een diepe onrechtvaardigheid dat sommige mensen wat hun uiterlijk betreft echt wat minder gelukkig zijn uitgevallen dan andere. Je kop, je haar, je krijgt het maar mee, en het is beslist van invloed op de rest van je leven. Mensen kijken nu eenmaal liever naar iets wat er prettig uitziet. Je doet er je voordeel mee, zonder dat je je daar zelf nu al te zeer van bewust bent. Je uiterlijk is toch een vanzelfsprekendheid, tot het dat niet meer is. Dan pas begin je je te realiseren met welk cadeautje je al die tijd zo achteloos omgesprongen bent.

Ik heb me op mijn zestiende geheel kaal geschoren, en dat kwam door mijn moeder, over wie veel te zeggen valt, maar die vooral toch heel scherp kan zijn.

'Ach,' zei ze op een keer, 'dat non-conformisme van jou, die Afghaanse jassen, die oorbellen en kralenkettingen, da's natuurlijk niets anders dan een vermomd conformisme, want lang haar, spijkerpak, wat wil je nog meer. Je bent jong en loopt precies in het gelid. Zo hoort dat als je zestien bent, en zogenaamd opstandig.'

Dat was natuurlijk raak geschoten, ze had heel slim een open zenuw bij me geraakt. Ik heb haar toen gevraagd wat ik kreeg wanneer ik die bos er in één keer af zou scheren. Honderd gulden. Ben linea recta naar boven gelopen, en kwam kaalhoofdig weer beneden.

En ineens ben je dan een ander mens. Het is nu meer ingeburgerd, maar begin jaren zeventig werd een kaal hoofd toch meteen geassocieerd met ernstige ziektes, krankzinnigheid, minder met een extreem-rechtse, skinheadachtige politieke overtuiging.

Stapte ik toen in een trein, ook al zat-ie bomvol, niemand die naast me ging zitten. In één keer was het gedaan met mijn aaibaarheid. Die engerd met dat kale hoofd... het was alsof ik plotseling besmettelijk was.

Er is een zin van John le Carré die me altijd is bijgebleven, uit *Little Drummer Girl*: '*A rebel is he who is looking for a better conformity*'. Zo waar.

Want hoe exclusiever en opstandiger al die subculturen waarvan een mens deel kan uitmaken, des te meer conformisme, des te harder de wetten binnen zo'n groep. Ik heb dat later ook nog weer gemerkt, toen ik al op de universiteit zat in Nijmegen. Duynstee was daar de rector, een KVP'er, gezaghebbende man, die dan zogenaamd het establishment belichaamde. Ik kreeg met hem te maken en heb zelden een grotere non-conformist ontmoet. Tuurlijk, op en top een burgerlijke man, in de goede zin des woords, maar binnen zijn milieu ook volstrekt eigenzinnig. Rookte als een ketter, ging elke nacht heel laat naar bed.

We raakten op elkaar gesteld, de rector en de hemelbestormende student die ik was, en hij zei toen: 'Kijk es, wij kunnen het goed met elkaar vinden, en dat betekent in ieder geval dat je iemand nooit moet beoordelen op uiterlijk, kleding of het milieu waaruit iemand afkomstig is.'

Dat is een leidraad gebleven in mijn verdere leven, ik heb ervoor gezorgd mezelf niet op te sluiten in een of andere subcultuur. Dat is gelukt, ja... in mijn vriendschappen, mijn liefdes... Ik laat me niet leiden door Ons Soort en Dat Soort. Dat is in ieder geval het streven.

Ik ging naar school in Arnhem, midden jaren zestig, en dan moest ik door het Spijkerkwartier, een buurtje waar het er rauw aan toe ging, gewelddadig. Daar leer je om ogen in je achterhoofd te hebben. Moedig, ik? Een vechtersbaas? Welnee, je leert heel hard rennen, da's het enige wat helpt.

Later woedde in Arnhem de vete tussen de vetkuiven en de artistiekelingen. Dan kwam zo'n vetkuif naar je toe en zei (spreekt nu zeer Arnhems): 'Waarom kijk je zo naar mij?' En als je dan antwoordde: 'Sorry, was even aan het wegdromen,' stelde de vetkuif weer de vraag: 'Waarom kijk je niet meer naar mij, zie ik er niet goed uit, soms?'

Inleidende woorden, die dat soort types gebruiken om zich zichzelf over het dooie punt heen te praten, waarna ze je eindelijk op de bek mogen slaan.

Nog steeds voel ik het meteen aan als de sfeer gewelddadig wordt, en dan smeer ik 'm subiet. Kabaal, dronken stemmen, een groepje baldadige jongens dat je tegemoetkomt? Oversteken. Ferm doorlopen. Vernederend? Dat zal dan wel: ik laat me liever vernederen dan in elkaar slaan. En ik denk toch: *you poor bastard,* als je wat slimmer was geweest, had je dat dreigement niet nodig gehad.

Eén keer echt toegeslagen, op de lagere school, een jaar of negen. Ik werd zwaar gepest, en ineens kwam er een enorme drift over me en heb ik de eerste de beste jongen die ik te pakken kon krijgen werkelijk zo hard als ik kon in zijn wang gebeten. Hij bloedde als een rund. De afdrukken van mijn tanden moeten er nog steeds in staan. En ik heb er nooit een seconde spijt van gehad. Dat is een absoluut gevoel: de mensen moeten me niet te nabij komen

En het heeft klaarblijkelijk geholpen; ben nooit meer aan de beurt gekomen op het schoolplein. Maar ten diepste voel ik dat er niets te winnen valt bij geweld.

In dat soort situaties is het punt: wie slaat als eerste toe, wie vindt geweld iets vanzelfsprekends. En dat geldt niet voor mij, ik ben de loser die hoogstens aan zelfverdediging kan doen, en dan heb je het eigenlijk al verloren.

Nee, voor mij is het duidelijk, ook na twee jaar Parijs, waar ik als jongeling toch zeer dronken en zeer laat in zeer ongure buurten heb gelopen: vermijding hoort bij het grotestadsrepertoire.

En dan is er nog die andere schoolervaring: de eerste klas van de middelbare school, een oud, groot gebouw, met van die lange holklinkende gangen. Dan was de les afgelopen, en kwam zo'n zee aan leerlingen aangelopen, allemaal één kant op. Het vloog me aan, dat beeld, de uniformiteit, de gezeglijkheid, en ik kreeg het gevoel dat ik letterlijk zou verdrinken in die stroom.

Heb me omgedraaid en me letterlijk in de tegenovergestelde richting geworsteld. Het is een existentiele angst: onder de voet gelopen te worden. Maar ook het idee: ik moet me onderscheiden, ik mag niet opgaan in die massa.

Dat gevoel, om het eigene te behouden, heeft later ook doorgewerkt: ik moet iets anders zeggen, iets origineels schrijven om me te onderscheiden. Ik wil een verschil maken.

Als ik foto's terugzie van vroeger, wanneer ik een jaar of achttien, twintig ben, denk ik: wauw! Daar staat een jongeman met een engelachtig gezicht, vijfenzestig kilo, een lichaam waar helemaal niets mis mee is... Maar goed: *the past is a foreign country*... ik heb het toen nooit zo gevoeld, was me nauwelijks van mijn aantrekkelijkheid bewust. Merkte ook niet dat er wel seksuele belangstelling voor me was, zowel bij mannen als vrouwen.

Nee, dat spijt me niet: ik denk dat je jezelf ook makkelijk kunt verliezen als je weet hebt van dat jeugdige uiterlijk, de aantrekkingskracht die het uitoefent.

Het duurde behoorlijk lang voordat het er echt van kwam.

Ja, met vrouwen. Heb ook wel homoseksuele ervaringen gehad als jeugdige man, maar de homo in mij heeft zich niet voldoende ontwikkeld, laat ik het daar bij houden.

Vroeger kon ik met mijn ogen mensen verleiden en dwingen... alleen maar door te kijken. En ineens, zo rond je veertigste, merk je dat het niet meer werkt. Dan kijken de mensen je aan: Wat doet die man raar. Dan is het veertje kapot. Aantrekkelijkheid lijkt een geboorterecht, totdat de tijd langskomt, en dan blijkt dat recht toch een stuk minder absoluut dan gedacht.

Nee, ik wil de tijd van dertig jaar geleden niet terughalen, er hoorde namelijk ook een grote verwarring bij en veel innerlijke onrust. Seksualiteit, de plek die je moet zien te veroveren in het leven. Die onrust om iets te moeten worden, willen worden... daar verlang ik niet naar terug.

Ik ben al dertig jaar met dezelfde vrouw, je ziet elkaar ouder worden, dat vind ik mooi, een voorrecht.

Ik heb meer bereikt dan ik me vroeger had kunnen voorstellen. Als ik nu ter plekke dood neerval, heb ik geen spijt, want ik heb in grote lijnen geleefd zoals ik wilde zijn. Soms wat zijpaden bewandeld; zo was er een moment, in 2005, dat ik er bijna van overtuigd was het een goed idee te vinden als ik het Nederlandse volk ging vertegenwoordigen. Vrienden hebben me toen bij de les gehouden, de fractiediscipline, het was niet aan mij besteed geweest.

Als ik terugdenk aan die scène op de middelbare school, waar ik tegen de stroom in ging, dan weet ik: ik val nu grotendeels samen met mijn oorspronkelijke bedoeling.

Ik ben wel begaan met mijn lichaam, zorg ook dat ik het niet uitwoon (en als dat op een woeste nacht wel eens gebeurt, zorg ik dat het zich kan herstellen), maar ik kan mijn aandacht er niet te lang bij houden.

Hou erg van sport... vooral om er naar te kijken. Alleen voor hockeykeeper had ik echt talent, als jongeling. Reactiesnelheid, je zal het wel meekrijgen met je genenpakket. Nog steeds als er een kopje van de tafel valt, een bord uit een volle kast, ben ik er vliegensvlug bij. Maar in die tijd had ik dus al 'lang haar', die woeste bol met krullen, en dat vond de hockeyclub niet representatief, dat kon gewoon niet. Nou, als je moet kiezen tussen sport en haar weet je het natuurlijk wel. Dat wordt haar. Mijn haar.

Thuis staat een hometrainer en ik zit daar toch vaak op om niet te dik te worden. Het is een vetvermalings-machine, zo zie ik dat, en in goede weken zit ik er wel een uur per dag op.

Ik kan me niet voorstellen dat iemand zijn lichaam helemaal uit de hand laat lopen... maar dikker en dik-ker laat worden, zonder in te grijpen. Dat zegt toch ook iets over iemands karakter: het gebrek aan innerlijke discipline, het talent voor verwaarlozing. Dat moet dan ook terug te vinden zijn in iemands hoofd: want zoveel afstand is er nu ook weer niet tussen lijf en kop.

Misschien is dat wel een van de aardigste dingen die ik van huis uit meekreeg: de onproblematische om-gang met het lichaam, met naakt zijn. Niet dat mijn ouders nu de hele dag naakt door het huis denderden, maar op zondagochtend, uit de badkamer, was toch eigenlijk niemand krampachtig.

Ik vind het niet vervelend mijzelf naakt te zien, in-tegendeel: ik voel me senang, zowel bij mijn eigen als bij andermans naaktheid.

Ik ben fysiek, hou ervan een beetje op iemands schouder te gaan hangen, mensen vast te pakken. Niet bij iedereen, maar toch in ieder geval bij mensen die me na staan.

Het blijft heerlijk naast mijn vrouw wakker te wor-den, dicht tegen haar aan te kruipen. Je hoort wel dat mensen een heel lange relatie hebben maar dat het met de seks gedaan is. Daar snap ik niets van. Wat is dan nog de bedoeling van een relatie, als het lichamelijke zo uitgeschakeld is? De vertrouwdheid die je in zo'n lange verhouding met iemand opbouwt, dat is echt een cadeautje.

Ik bekijk de wereld graag vanonder mijn donsbed... daar is het veilig. Wat was mijn leeropdracht ook weer?

Grotestadsproblematiek, ja, ja. Maar ik koester dus een gezond wantrouwen jegens de publieke ruimte, en geniet van de veiligheid van het dekbed.

HERMAN DEBROT (57)

Herman Debrot traint wereldkampioenen. Judo. Zelf was hij ooit derde op een mondiaal toernooi. Na zijn judocarrière is hij gaan bodybuilden. Ook in die sport won hij internationale prijzen. De tafel in zijn woonkamer is bedolven onder boeken over krachttraining en het lichaam. Hij publiceerde er zelf ook een paar. Nog voor ons gesprek begonnen is, heeft Debrot ons vetpercentage gemeten, door een zogenaamde tien-puntenmeting. We kunnen onze cijfers vergelijken met die van topsporters als Ruben Houkes, Guillaume van Elmont en Dennis van der Geest. In schriften wordt het allemaal bijgehouden. Tijdens het gesprek zal Debrot diverse keren opstaan om oefeningen voor te doen; de juiste manier om te squatten, te deadliften of een spagaat te doen (want ja, die doet deze 57-jarige man even in zijn spijkerbroek, zonder eerst te stretchen). Zijn leven heeft altijd in het teken gestaan van de sport. Tussen zijn boeken, de medailles en foto's aan de muren wanen wij ons in een collegezaal. De meester spreekt...

Ouderdom kun je niet tegengaan. Ik ben ook kaal geworden, heb rimpels gekregen. Baal als ik naar de huid van mijn nek kijk, die slapper is geworden. Maar je kunt toch goed oud worden. Dat kan je zelfs het gevoel geven controle te hebben over dat onomkeerbare proces. Kijk, grijs word je toch, rimpels zullen er komen en die spieren zullen minder sterk worden. Minder soepel ook. Maar dat zijn symptomen. Door goed te leven, je bewust te zijn van wat je wel en niet doet, door veel te bewegen, kom je een heel eind. En met goed leven bedoel ik dan niet dat je niet mag roken en drinken en alleen maar sojabonen moet eten. Ik rook zelf af en toe een sigaretje en drink in het weekend graag een biertje of een calvados. Dat kan geen kwaad. Ik train mijn lichaam en mijn geest. Ik houd de machine draaiende.

Je moet ook mazzel hebben. Het helpt als je in je leven veel gesport hebt, als kind al. Opgroeien in een omgeving waar je lekker buiten kunt spelen geeft je een grote voorsprong op anderen. Ook later in je leven speelt dat een rol bij de gezondheid. Je lichaam is wat dat betreft echt net een machine. Die moet vanaf het eerste moment in beweging blijven, soepel blijven lopen. Als dat niet zo is, als je in je kinderjaren amper buitenkwam, weinig sportte of bewoog, heb je een achterstand die je nooit meer inhaalt. Dat betekent niet dat je niet goed oud kunt worden. Ik schrijf daar op dit moment een boek over. Goed oud worden. Dat boek is bedoeld voor mensen die niet zoveel gesport hebben, die met die achterstand leven en merken dat het lichaam in verval raakt. De meeste oude mensen, en dan heb ik het over mensen van mijn eigen leeftijd, 57, en daarboven, hebben geen idee hoe ze gezond moeten leven. In mijn boek leg ik uit hoe het allemaal zit. Met dat lichaam; anabolisme, katabolisme. Met voeding; metabolisme. Met slaap. De praktische realiteit en de vraag hoe reversibel de foute daden zijn. Gezond oud worden. Fit blijven. Bewegen. Je hoeft op een leeftijd boven de 70 de sportschool niet meer in. Drie keer per dag je hartslag hoger krijgen dan hij normaal gesproken is. Twintig minuten lang. Daar begint het mee. Een handleiding, zo kan je dat boek noemen. *How to get old*, haha... en ik denk dat ik daarover het een en ander kan meedelen.

Ik ben op Curaçao geboren. Mijn vader was Antilliaan en werkte als ingenieur. Mijn moeder is joods. Mijn jeugd bracht ik grotendeels buiten door. Zwemmen, varen, kattenkwaad uithalen. Ik was een onrustig mannetje. Heel competitief, wilde altijd winnen. Altijd de beste zijn.

Op de Antillen wordt op verjaardagen voor de kinderen een *pinata* in de boom gehangen. Een felgekleurd dier van papier-maché, gevuld met snoep. De kinderen mogen er om beurten met een knuppel tegenaan slaan. Wie hem kapotslaat, mag als eerste het vrijgekomen snoepgoed opgraaien. Ik bestudeerde als zesjarig mannetje de techniek van de oudere jongens tot ik doorhad op welk moment de pinata 'rijp' was voor de beslissende klap. Vanaf mijn zevende sloeg ik op elke verjaardag het felgekleurde papier-maché aan diggelen. Zo ben ik altijd blijven kijken naar de wereld om mij heen. Mechanismen bestuderen, je eigen maken en inzetten.

Mijn ouders besloten naar Nederland te vertrekken toen ik nog jong was. Ik kwam als jochie in een land dat ik niet kende, was agressief, vocht veel. De schoolarts adviseerde mijn ouders mij op judo te doen. Dan kon ik de agressie kanaliseren. Maar judo is niet eenvoudig. Ik vocht veel, maar van die sport had ik nog niets begrepen. Tot ik op een dag tegen een jongen moest judoën aan wie ik echt een hekel had. Zo'n wijsneus, die de hele dag anderen loopt te intimideren. Ik had het helemaal gehad met die jongen, vergeet zijn naam nooit meer: Henkie Krikke. Oh, wat was ik ziek van dat ventje. Wacht maar, dacht ik toen we eindelijk een keer op de mat stonden, en ik smeet hem echt keihard op de grond. Al mijn kracht, al mijn agressie. Ik was gewend dat ik na dat soort streken straf kreeg, in de schoolklas zou ik weggestuurd worden. Maar nu, bij judo, riep de coach: 'Goed zo.' Goed zo! Toen dacht ik, dit is het walhalla. Je gooit met leeftijdgenoten en het wordt gewaardeerd.

Daarna ging het snel. Op mijn zestiende werd ik jeugdkampioen. Later op mijn negentiende weer. Ik ben zelfs nog een keer derde van de wereld geworden op een eindtoernooi. Ik was een performer, maakte een show van mijn partijen. Mensen waardeerden dat. Toch hoorde ik niet bij de wereldtop. Je kunt een keer zo'n toernooi winnen omdat je tegen de juiste mensen vecht, of omdat de betere judoka's worden verslagen door mensen van wie jij weer kunt winnen. Judoka's trainden in Nederland nog niet veel met gewichten. Daar werd je langzaam van, vonden ze. Maar ik zag op internationale toernooien jongens met enorme lichamen. Toen ben ik mij gaan verdiepen in spierontwikkeling. Een vriend van me zat in militaire dienst en vertelde over een gewichtheffer. Dat stelde in Nederland natuurlijk niets voor. Maar die man was wel sterk. Hij leerde ons heel andere oefeningen dan ik gewend was. Met een roestige stang stonden wij dan weer in een of ander gymzaaltje die oefeningen na te doen. Het zette nog niet echt zoden aan de dijk.

Er is niet echt een ideaal judolichaam, zoals je dat bij sprinters of schaatsers wel hebt. Het menselijk lichaam komt in drie varianten. Ectomorf, mesomorf en endomorf. De ectomorf is het type marathonloper. Lang, slank en een lichte botstructuur. De torso is kort in verhouding tot de armen en benen. De mesomorf is het type bodybuilder. Een natuurlijke aanleg voor spierontwikkeling. Grote borstkas, brede schouders. En dan de endomorf. Mensen met dat type lichaam zijn vaak dik. Ze zien er zacht en rond uit. Korte armen en benen. De endo heeft een traag metabolisme en slaat van nature snel vet op. Met elk van die lichaamstypes kun je een goede judoka worden. Je moet natuurlijk wel talent hebben. Maar er zijn gewichtsklassen en stijlen

die het mogelijk maken in alle maten en vormen mee
te doen. Het gaat erom dat je het lichaam zelf goed
kent, weet waar je kracht ligt en waar je zwakte.

Toen ik na een tijdje besefte dat ik de wereldtop in het
judo niet kon halen, was de rek er snel uit. Ik was toen
26, had mooie jaren achter de rug. Veel gewonnen. Veel
van de wereld gezien. Op die leeftijd denk je dan dat
het lichaam dat je hebt, de spierontwikkeling, van God
gekregen is. Maar zodra ik stopte met judo, smolten
mijn spieren als sneeuw voor de zon. Wat is dit? Ik
dacht dat ik ziek was. Vanaf dat moment ben ik als een
dolle met het ijzer in de weer gegaan. Keihard trainen.
En lezen. Ik verslond boeken over spierontwikkeling,
training en het menselijk lichaam. Mijn boekenkasten
staan er nog steeds vol mee. Ik heb lectuur in huis uit
het oude Oost-Duitsland, de DDR-sportcultuur, stapels
boeken uit die spartaanse sportcultuur van de jaren
zestig, zeventig en tachtig. Ik kan nog steeds niet goed
uitleggen waarom ik die informatie zo fanatiek verza-
melde. Ik wilde gewoon weten hoe het allemaal werkte. Misschien wel omdat ik in Nederland zoveel onzin
hoorde verkondigen die ik elders ontkracht zag. In die
boeken van mij, maar ook in Amerikaanse tijdschrif-
ten over bodybuilding. De sporttrainers in Nederland
hielden vast aan oude technieken en tradities, diepge-
wortelde vooroordelen en vooropgezette meningen. Ik
wilde het anders doen en raakte geobsedeerd door de
wereld van het ijzer.

IJzer is eerlijk. Als je er hard voor werkt, boek je resultaat. Als je lui bent, zie je dat ook. Ik trainde als een
buffel in die dagen. Dankzij het judo en al die beweging
in mijn jeugd had ik veel aanleg. Ik ging in zes jaar tijd
van 78 kilo naar 120. Ik voelde mijn lichaam groeien,
droger worden. Mensen zeiden: je moet dat podium op.

Op dat moment ben ik voor een periode van twee, drie jaar anabole steroïden gaan gebruiken. Als je mee wilde doen met de top, dan moest je wel. Dat klinkt misschien niet zo verstandig en dat is het natuurlijk ook van geen kanten. Maar je bent jong en nieuwsgierig. Je wilt de wereld veroveren. Je hoort mensen tegenwoordig vaak negatief praten over doping, maar ik denk dat je slechter af bent als je stevig drinkt of te veel rookt. Ik zal het nooit iemand aanraden, maar ik heb er geen spijt van dat ik die rotzooi gebruikt heb. Ik voelde me goed, zag er goed uit. En ik ben nooit ziek geworden. Het wordt allemaal zo overdreven. Maar je moet ook niet denken dat je makkelijk groeit als je maar anabole steroïden gebruikt. Dat is de grootste misvatting. Keihard trainen. Sterker nog, iedereen die overweegt doping te gebruiken, moet eerst zijn manier van trainen, de intensiviteit, nog eens onder de loep nemen. Train je als een beest? Doe je die extra herhalingen als je eigenlijk niet meer kunt? Ga jij door als anderen het op zouden geven? Daar gaat het om, de extraatjes. Doorgaan als anderen stoppen. Als je dat niet doet, hoef je niet eens aan steroïden te denken. Dan heb je er helemaal niets aan. Maar als je wel hard traint, geven ze je vleugels, alsof het elke dag weer maandag is. De dag dat je lekker uitgerust gaat trainen. Nooit meer het gevoel van de woensdag, dat je vermoeid begint te raken. Ik deed absurde setjes in die dagen. Honderd keer *squatten*. *Deadlifts* met gewicht waar een normale rug van zou breken. Het kan niet op als je die anabolen gebruikt. En dan hield ik mij nog redelijk aan de gebruikelijke dosering. Er waren jongens die ver over het maximum heen gingen. Monsters waren dat. Voor die dosering is een makkelijk ezelsbruggetje. Je zet een nul achter je lichaamsgewicht en vermenigvuldigt dat getal met twee. Zoveel milligram steroïden kun je per week naar binnen werken.

Mij is het goed bevallen in die tijd. Ik werd groot en dat was precies wat ik wilde. Maar om mee te doen aan wedstrijden moest je een zogenaamde A-status hebben en die had ik niet. Ik kende wel wat jongens die in jury's en besturen zaten. Aan een van die mannen heb ik toen gevraagd of ik geen dispensatie kon krijgen. Daar deden ze niet aan, liet hij weten. Weet je wat, zei ik tegen hem. Ik kom van de week een keertje bij jouw sportschool trainen. Dan zullen we nog wel eens zien of jullie geen dispensatie geven. Zijn mond viel open toen hij mijn bovenlichaam zag. Wat is dit, vroeg hij verbaasd. Als je benen net zo goed zijn als je bovenlichaam mag je meedoen. Hij viel bijna flauw toen hij mijn benen zag, het beste deel van mijn lichaam. Nog steeds trouwens.

Inmiddels weet ik beter. Het is in de georganiseerde sport streng verboden. Na jarenlang judoka's te hebben getraind die nationale, Europese en wereldtitels en Olympische medailles hebben gewonnen, weet ik dat het zonder anabole steroïden kan. Heel goed en beter zelfs. Het duurt wel wat langer, maar de kracht en de spieren worden beter verankerd in het lichaam.

Als bodybuilder heb ik de Hercules gewonnen. Dat was toen het hoogst haalbare. Een internationaal toernooi. Maar uiteindelijk slokt bodybuilding veel te veel tijd op. Eten, slapen, twee keer per dag trainen, je hele leven wordt erdoor bepaald. En die steroïden, ik heb er misschien geen spijt van, maar als je dat te lang doet, wordt het toch een sluipmoordenaar.

Ik heb nog een paar jaar in Amerika getraind. Onder meer met Tom Platz, maar ook Frank Zane, Arnold Schwarzenegger, Robby Robinson, Ed Corney, Joe Gold en Vince Gironda. Van hen heb ik veel geleerd. In Amerika zijn ze gedreven. Niemand is te beroerd om iets van een ander aan te nemen. Die mentaliteit is belangrijk. Je weet nooit genoeg over het trainen. Er is altijd wel iemand met een nieuw inzicht, een verrassende oefening of theorie. Misschien heeft dat ook wel met goed oud worden te maken. Dat je nieuwsgierig blijft. Ik ben dat altijd geweest. Je ziet de kasten in mijn huis. Er staan niet alleen boeken in over sport en lichaam. Ook over auto's, een handleiding voor het uit elkaar halen van een Corvette. Geschiedenis. Of Friedrich Nietzsche, mijn held. Als je de wereld wilt begrijpen, moet je lezen en dingen ondernemen. Lezen en leven, want als je met die boekenkennis vervolgens niets doet, heb je er weinig aan.

Uiteindelijk ben ik judoka's gaan begeleiden. Ik train nu onder anderen wereld- en Europese kampioenen in Haarlem: Dennis van der Geest, Guillaume en Dex El-mont, Ruben Houkes, Henk Grol. Daarnaast geef ik les op een ROC. Daar leid ik jongeren op tot judoleraar en fitnesstrainer. Ik breng mijn kennis van de sport over op anderen en werk dus veel met jonge mensen. Daar geniet ik van. Sport leert je veel over het leven. Niet alleen op de judomat, maar in de gehele sport gelden regels en wetmatigheden. Met de juiste mentaliteit, vooral inzet en doorzettingsvermogen, slaag je erin je doelen te bereiken. Je leert grenzen verleggen, je leert grensverleggend te denken. Je leert incasseren en niet te snel uit het veld geslagen te zijn. Kameraadschap. Aan de wijze waarop iemand sport, kun je zijn karakter meten. Kun je zien hoe die persoon zich in het leven zal gedragen.

Ik wil ooit op mijn eigen leven terugkijken en overtuigd zijn dat ik er alles uithaalde. Voorkomen dat ik teleurgesteld ben, zoals een boekhouder die ik kende. Op zijn sterfbed zei hij dat hij eigenlijk een beest van een man was geweest, vooral in zijn dromen. Maar nooit de moed had gehad om al zijn plannen en voornemens ook daadwerkelijk te realiseren. En natuurlijk ontkom je er niet aan dat je met zo'n levensstijl wel eens domme dingen doet. Maar je kunt het ook allemaal niet doen. Thuis voor de buis met een potje bier gaan hangen.

Je moet goed om je heen kijken. Kennis verzamelen en dan je kansen grijpen.

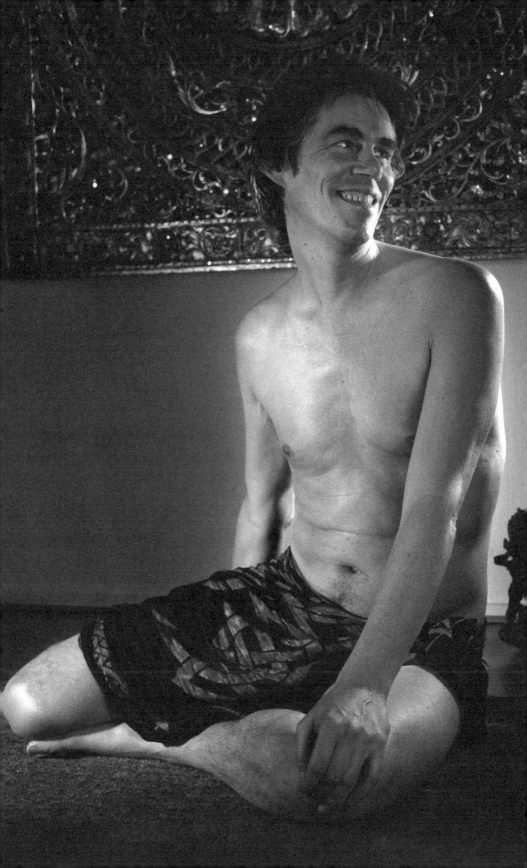

JAN DEN BOER (39)

In de Verenigde Staten hebben ze een mooi gezegde voor het streven van de man om meer liefde in seksualiteit te verwerken: *More heart, less jizz*. Meer hart, minder zaad. Jan den Boer zal de opmerking ongenuanceerd vinden, maar in grote lijnen bepleit hij met zijn tantratrainingen hetzelfde. Die gaan dus niet over het uitstellen, of rekken van een orgasme, zoals wij vaak willen denken, maar over de echte verbinding tussen twee geliefden. Kwaliteit. Hoe dan ook heeft Jan den Boer het antwoord op de vraag die heel veel mannen stellen: Hoe houd ik het langer vol in bed? Maar nogmaals, zelf zou hij het zo niet zeggen. Er was een lange spirituele zoektocht nodig om zijn kennis op te doen. Die begon al in zijn jeugd.

Ik heb een tweelingbroer. We zijn geboren uit één ei. Dat heeft in mijn leven een belangrijke rol gespeeld. Je groeit op in symbiose. Dat merk je ook lichamelijk. Wij ontwikkelden ons in spiegelbeeld. Samen bewogen wij ons door de wereld. Je voelt niet alleen hoe mensen op jou reageren, maar ook hoe zij die andere helft van jou zien. Als kind had ik daardoor sterk het gevoel één met mijn broer te zijn, maar dat is een illusie. De eerste keer dat die illusie werd doorbroken, was op mijn negende. We speelden in een speeltuin met een meisje van onze leeftijd. Op een gegeven moment gaf zij mijn broer een kusje en mij niet. Ik realiseerde mij toen dat ik niet mijn broer was, dat wij niet één waren. Hij kreeg dat kusje wel en ik niet. Ik vroeg mij toen nog niet af waarom dat zo gebeurde, maar ik was wel geschokt. Ik vond dat niet fijn.

Later ben ik die ervaring gaan plaatsen. De symbiose waarin een tweeling die eerste jaren opgroeit, is zo sterk dat je los van elkaar, onbewust, karaktereigen-schappen ontwikkelt die nog niet binnen die symbiose vertegenwoordigd zijn. Je ziet het vaker bij eeneiige tweelingen. Als de een ergens heel goed in is, is de ander het vaak niet. Ik heb het dan niet over sport of puzzelen, maar over persoonlijkheid. Mijn broer was in onze jeugd sociaal sterker dan ik. Hij was de jongen met de vlotte babbel, ik kon goed studeren. Mensen reageerden op zijn aanwezigheid als hij ergens binnen-kwam. Ik heb aan die sociale kant, de ontwikkeling van mijn gevoel, moeten werken. Mijn moeder zei vroeger al: 'Je broer is aardiger.' Ik was mij al vroeg bewust van het feit dat ik iets miste, dat ik ergens dus niet zo goed in was. Het kusje dat mijn broer kreeg in die speeltuin op ons negende was daar een eerste voorbeeld van.

Maar er was wel een balans, mijn sterke punten wa-ren de actieve doe-dingen: studie, en later verre reizen en het volgen van spirituele trainingen. Daarin volgde mijn tweelingbroer míj juist meer.

Tweeling zijn is niet altijd makkelijk, maar toch ook heel mooi. Je maakt een andere ontwikkeling door dan gewone kinderen, die zich op jonge leeftijd met veel moeite los moeten maken van hun moeder. Bij tweelingen kost dat minder, of zelfs helemaal geen moeite. Je hebt elkaar. Die verbinding hoef je pas veel later te verbreken.

Bij ons gebeurde dat toen we gingen studeren. We kozen allebei voor Delft, maar mijn broer wilde een andere studie gaan doen en besloot ook de rest van zijn leven daar op een eigen manier in te vullen. Ik vond dat moeilijk, had er niet voor gekozen. Het duurde even voor ik mijn draai gevonden had. Eerst koos ik civiele techniek als studierichting, maar dat klopte niet. Ik voelde mij daar niet thuis en ben toen stedenbouw-kunde gaan studeren. Dat vind ik nog steeds een mooie richting. Ik heb er een deel van mijn werk in gevonden, maar moest toch ook concluderen dat mijn academisch niveau bedroevend was. Ik heb leuke dingen gedaan, veel geleerd, maar wat ik miste was het analytisch denken. Na mijn studie in Delft ben ik daarom filosofie gaan studeren aan de Universiteit van Amsterdam.

Tijdens mijn studie in Delft was ik, ook omdat ik het lastig vond om mij los te maken van mijn broer, het studentenleven ingedoken. Ik dronk veel, ging regelmatig met meisjes naar bed.

Een belangrijk moment in mijn leven, en een van de redenen om voor een studie filosofie te kiezen, was een vrijpartij met een meisje in Berlijn. Op dat moment dacht ik plotseling: waar ben ik mee bezig? Ik realiseerde mij toen voor het eerst dat seksuele uitspattingen mij niet gelukkig maken. Dat je veel bedpartners hebt, betekent nog niet dat je jezelf goed voelt. Ik kon toen niet direct benoemen waar het hem in zat, maar tijdens de treinreis van Berlijn naar huis las ik het bijzonder inspirerende boek *Zen en de kunst van het motoronderhoud* van Robert M. Pirsig. Dat werk gaat over de kwaliteit van het leven. Hoe ik nu leef, dat is geen kwaliteit meer, wist ik. Die gedachte, de wetenschap iets te missen en het boek van Pirsig zorgden ervoor dat ik aan die studie filosofie begon. Ik wilde de waarheid zoeken.

Achteraf kan ik zeggen dat ik door die keuze bewees Pirsig niet goed begrepen te hebben. Die zegt juist dat de wijsheid niet gevonden wordt in de kerk van de rede. Het gaat om de balans tussen geest en lichaam. Op het moment dat die balans te veel naar één kant hangt, verwar je niet alleen jezelf maar ook de wereld om je heen. Toch ben ik blij dat ik die studie ben gaan doen. Het was een inspirerende tijd en de kennis die ik opdeed, hielp mij op het juiste pad in de zoektocht naar wat ik miste in mijn leven. Uiteindelijk is dat samen te vatten in de verbinding met mijn gevoelsleven. Die verbinding miste ik. Ik kon niet makkelijk bij die gevoelskant komen. Dat uitte zich in de contacten met mensen. Soms liepen relaties stuk na drie of vier maanden, soms merkte ik dat ik niet echt tot mensen doordrong, ze niet wist te bereiken of aan te voelen. Bij mijn broer zag ik hoe het anders kon, dat inspireerde mij bijvoorbeeld na dat moment in Berlijn om mijn leven anders in te gaan vullen. Het is mooi geweest zo, concludeerde ik. Ik heb nog steeds geen spijt van die wilde jaren, toen dus ook niet, maar ben wel in gaan zien dat daar de waarheid, het geluk, niet te vinden is. Ook filosofie bracht mij geen antwoord op mijn vragen. Mijn gevoelskant raakte door die studie eerder verder ondergesneeuwd dan dat hij zich ontwikkelde. Te veel ratio, misschien wel.

De weg naar ontwikkeling van mijn gevoelsleven vond ik uiteindelijk in tantra. In mijn seksualiteit. Lichamelijk heb ik mij bij anderen altijd op mijn gemak gevoeld. Een op een bedoel ik dan. Ik denk dat mijn broer en ik minder bindingsangst hebben dan veel anderen omdat wij ons, doordat wij elkaar hadden, op een vroege leeftijd hebben losgemaakt van mijn moeder. Dat ging zonder moeite. Seksueel was ik dus makkelijk, snel comfortabel. Toch zat mij vanaf mijn achttiende of negentiende iets dwars op dat gebied. Ik groeide op in de jaren zeventig en had meegekregen dat masturberen goed was en fijn moest zijn. Maar dat was het bij mij niet altijd. Ik hield aan klaarkomen niet vaak een lekker gevoel over. Daar maakte ik mij zorgen om. Ik dacht dat er misschien iets mis was. Pas toen ik mij in tantra ging verdiepen, ben ik erachter gekomen wat dat was: de drift om klaar te komen, het zo nodig 'moeten'. Dat doet een mens geen goed. Ik herinner mij een moment op mijn dertiende. Ik lag in bed met een voor mij onbekend gevoel van opwinding. Plaatsen kon ik het niet, maar ik vond het heerlijk. En omdat ik toen niet wist dat er zoiets als zelfbevrediging bestond, heb ik uren liggen genieten van dat opgewonden gevoel, zonder ernaar te moeten handelen. Daar gaat tantra over; opwinding, verlangen, zonder de drang om te ejaculeren. Die drift om klaar te komen is niet alleen lastig als je alleen bent, maar neemt ook veel verbinding weg tussen mensen.

Ik ben vanaf mijn dertigste mijn seksualiteit opnieuw gaan ontdekken. Net als kennis kun je seksualiteit ontwikkelen. Tantra is voor seksueel ontwikkelde mensen. Anderen denken vaak dat het alleen om urenlang genot gaat, langgerekte orgasmen, maar het heeft veel meer diepgang dan dat. Tantra gaat om verbinding, om elkaar vinden in verlangen en liefde. Ik heb in deze vorm de bron gevonden van verbinding met mijn hart, de sleutel naar mijn gevoelsleven. De energie stroomt vanuit mijn hart naar mijn partner, door de seksuele verbinding die wij met elkaar hebben.

De biologische drift om klaar te komen is bij mannen ongelooflijk sterk. Als een man opgewonden is, wil hij dit meestal ontladen. Vrijen kan daardoor doelgericht zijn, dat doel is uiteraard de ejaculatie. Je hoort vaak mannen zeggen dat ze het langer vol zouden willen houden. Toch zijn niet veel mannen bereid er echt iets voor te doen. Dat merk ik ook tijdens de tantraworkshops die ik inmiddels geef. De drift is voor veel mannen te sterk. Dat bedoel ik ook als ik zeg dat je seksueel ontwikkeld moet zijn als je tantra wilt begrijpen en toepassen.

Het klinkt triest, maar veel mannen vrijen, ook als ze met een ander zijn, vooral met zichzelf. Veel vrouwen willen juist meer verbondenheid – dat kan overigens soms ook te dwingend en doelgericht zijn –, daar gaat het in veel gevallen mis. In de meeste relaties, of het nou om hetero's gaat of homo's, is de ene persoon bezig met aantrekken terwijl de ander juist afstoot. De een heeft zin, terwijl het hoofd van de ander er niet naar staat. Soms zet degene die opgewonden is toch door. De ander gaat zich dan gebruikt, of zelfs misbruikt, voelen. Zo groeit een seksuele relatie langzaam scheef en ontstaat er seksuele frustratie of de befaamde beddendood.

Een simpele oefening om beter op elkaar afgestemd te raken, is de ouderwetse naderingsoefening; je loopt van een afstandje langzaam naar elkaar toe en probeert aan te voelen op welk moment je daadwerkelijk contact maakt met de ander. Je voelt bij zo'n oefening het spanningsveld. Mijn vrouw en ik doen regelmatig een soortgelijke oefening, maar gaan er nog verder in door een genitale verbinding aan te gaan. Ik breng mijn geslacht in dat van mijn vrouw, soms zelfs gewoon als het nog slap is. Vanuit die verbinding laat je gebeuren wat er gebeurt. Je vrijt, je voert gesprekken bijvoorbeeld over de boodschappen of je huilt als je verdrietig bent. Je blijft wel in die seksuele verbinding. Ook is het heerlijk om zo in slaap te vallen. Waar het om gaat, is dat je vanuit een gezamenlijkheid te werk gaat, vanuit een verbonden situatie, in tegenstelling tot je eigen driften volgen zonder oog te hebben voor het gevoel of de toestand van de ander. Ik noem dit een tantrische meditatie: heel aandachtig in contact zijn.

Elke man kan zichzelf oefenen in het scheiden van het lekkere gevoel dat je ook hebt als je klaarkomt en het ejaculeren zelf. Wel het genot, niet de zaadlozing. Er is een oefening die je ook dagelijks kunt doen om daaraan te werken. Ik adviseer je het niet 's avonds te doen want je krijgt er, met name in het begin, heel veel energie van. Probeer het 's ochtends te doen.

Je legt je handen op je geslacht en laat de opwinding toe. Niet te heftig, maar je kunt best voorzichtig masturberen. Als je de opwinding voelt komen, breng je je handen naar je hart en voelt hoe dat klopt. Van je hart ga je na een paar minuten weer terug naar je geslacht en zo ga je heen en weer. Van geslacht naar hart. Je eindigt bij je hart en neemt dan vijf of tien minuten om meditatief en aandachtig aanwezig te zijn. Je verschuift op die manier de focus van je bekken naar je hart. Ook daar gaat het om bij tantra, die verschuiving van je onderbuik naar je hart. Minder behoefte, meer gevoel. In het Verre Oosten zeggen ze dan: haal de begeerte uit het verlangen. Dat is mijn spirituele weg om echt vanuit liefde te leven.

Ik ben lang op zoek geweest naar de sleutel tot mijn gevoelsleven. Ik heb de luxe gehad seksueel verzadigd te raken, toen in Berlijn. Dat was voor mij het begin van de oplossing, maar ik denk dat veel mannen gevoelsmatig op slot zitten. Ze realiseren zich dat ze wat missen, misschien zelfs wat ze missen. Ik zal ook niet beweren dat iedereen die zich niet verdiept in tantra iets mist, het gaat namelijk in heel veel gevallen goed. Maar als mensen iets missen, dan is dat toch de liefde. Daar gaat het om. Niet alleen om seks. Seks en liefde worden nog veel te vaak gescheiden. Ze horen bij elkaar. In die wetenschap lag voor mij de sleutel tot mijn gevoelsleven. Ik heb regelmatig last gehad van

dat 'moeten', niet alleen in seks maar in mijn hele leven. In mijn leven is loslaten daarom een belangrijk
thema geworden. Toen ik dat 'moeten' losliet, kwam
ik steeds meer in balans, werd ik een compleet mens
in mezelf. Tegen mijn tweelingbroer heb ik een keer
kunnen zeggen: 'Ik heb je niet nodig en het is goed dat
je er bent.' Dat niet nodig hebben en wel genieten van
mogelijkheden die er zijn, is misschien het belangrijkste inzicht in mijn leven. Daardoor kwam het pas echt
tot bloei. Alsof het leven toen eindelijk echt begon.

ANIL RAMDAS (52)

We deden de interviews voor dit boek meestal met zijn tweeën, Arie en ik. Hij deed er een paar alleen en ik ook. Maar toen we de schrijver en journalist Anil Ramdas interviewden, was het belangrijk samen te zijn.

Ik ken Anil te lang en te goed, ik heb met hem samengewerkt bij het weekblad *De Groene Amsterdammer*, we hebben met z'n tweeën een televisieprogramma gemaakt en inmiddels is hij de Amsterdamse vriend die ik het langst ken – het zilveren jubileum staat eraan te komen. Die nabijheid maakt naast vertrouwd ook blind, en daarom was het nodig dat er een buitenstaander bij was, die onze al te gemoedelijke conversatie op scherp kon stellen.

Als je, zoals ik, min of meer vergroeid bent met iemand en zijn omgeving (Anils vrouw, kinderen, zus, zwager, neef en nicht en verdere familie,) is het des te moeilijker onbevangen te zijn en, als het nodig is, onbeschroomd in je nieuwsgierigheid.

Ik wist dat Anil een lange alcoholische periode achter de rug had: het laatste lange gesprek dat ik met hem voerde, ging precies daarover, zijn verslaving, zijn belabberde lichamelijke conditie, mijn zorgen en ook wel boosheid over de vasthoudende nonchalance waarmee hij bezig was zijn leven te gronde te richten.

Sinds een paar maanden staat Anil 'droog', zoals dat heet. Zijn gezicht, zijn stem, heeft voor mij weer de vertrouwde kleur aangenomen: de zeer enthousiaste jongeman die ik 24 jaar geleden voor het eerst zag.

Anil heeft zichzelf voorgenomen de eerste de beste die zegt dat hij er 'goed uitziet' een oplawaai te verkopen. Laat dat nu mijn hartelijke begroeting zijn, het eerste wat me voor de mond komt:

'Niel, je ziet er echt goed uit.'

Het handgemeen blijft achterwege, en het gesprek laten we beginnen bij die laatste ontmoeting tussen Anil en mij, toen hij nog dronk en ik bang was dat elk zuchtje wind hem het ziekenhuis in zou blazen.

Ik woog toen bijna 49 kilo.

Ik ben 1,67 meter, da's natuurlijk niet echt fors, maar zelfs voor mijn lengte zou ik minimaal 57 kilo moeten wegen.

Ik ben één keer eerder zo licht geweest, toen ik pas vanuit Suriname in Nederland arriveerde. Maar toen was ik negentien. Toen was er geen alcoholprobleem, integendeel: ik was de typische overambitieuze student die gedisciplineerd en wel het oude moederland stormenderhand zou veroveren.

De laatste jaren vond ik eten helemaal niet meer interessant. Het hield mij van het drinken af. Als je veel drinkt heb je ook geen honger meer. Als je de keuze hebt – en die dacht ik te hebben – en je op tijd begint te drinken en je rookt erbij, dan ontbreekt het je al snel aan eetlust. Op tijd beginnen betekende voor mij elf uur, halftwaalf 's ochtends. Dan begon ik, heel kalm hoor, niet onbeheerst of gulzig. Altijd rode wijn. Aldoor. Ik dronk geen gigantische hoeveelheden, geen jenevers en dat soort zware dranken. Twee flessen per dag, maar ik was wel continu dronken.

Toen ik weer een keer werd opgenomen in het ziekenhuis wegens veel drank en nauwelijks weerstand, ontdekten ze dat ik een enzym mis dat alcohol afbreekt. Dat enzym wordt normaal gesproken gemaakt door je pancreas, en daar heb ik al eerder moeite mee gehad. Dat enzympje maakte ik niet meer. Met als gevolg dat ik veel langer dronken bleef dan andere mensen. Omdat de alcohol in mijn bloed bleef zitten.

Als ik 's ochtends wakker werd, was ik nog dronken. Het is niet uniek. Het komt veel voor bij mensen die pancreatitis hebben of hebben gehad. De eerste keer dat ik erachter kwam was in 2002. Ik werkte in India als correspondent voor NRC *Handelsblad*. Eerst merk je dat je misselijk bent, het komt gek genoeg vooral naar boven bij het tandenpoetsen. En vervolgens vind je jezelf terug in de badkamer of ergens anders. Bijna comateus. Als je wakker wordt, komt de pijn. Ik wist niet wat het was. Eerst denk je aan een hartaanval. Er was niemand thuis, mijn vrouw Chendra niet, en ook mijn twee kinderen waren weg. Sowieso is de situatie in India niet vergelijkbaar met die in Nederland, je kunt niet even naar het ziekenhuis worden gebracht. Meestal komt er eerst een arts aan huis, als je die weet te bereiken of er toevallig een kent. Pas als zo iemand geconstateerd heeft dat je naar het ziekenhuis moet, komt er een soort ambulance.

Ik zeg uitdrukkelijk een soort ambulance: het is gewoon een busje. Een soort verhuisbusje met een zwaailicht. Er zit geen apparatuur in, er is alleen ruimte voor je brancard. Dan zit er een man naast je, zonder enige medische kennis. Het enige wat hij moet doen is je geruststellen. Dus die aait over je hoofd en zegt dat het goed komt. In het verkeer wordt zo'n ambulance niet gezien. Het maakt geen enkele indruk. Niemand gaat aan de kant. Je staat uren vast in de files voor je bij een ziekenhuis komt. Daar aangekomen controleert iemand je hart door iets onder je tong te spuiten. In het geval van een hartaanval hoort daar een standaardreactie op te volgen. Toen bleek dat ik daar geen last van had, vroeg die arts alleen nog of ik dronk. Hij wist het al: pancreatitis. Dan pompen ze je maag leeg, maar verder kunnen ze er niets aan doen. Je pancreas kan niet verwijderd worden. Het is je enzymfabriekje. Als daar iets misgaat, krijg je of acute diabetes, of wat ik heb, dat je bij te veel alcohol tegen de vlakte gaat.

Gestopt? Meteen. Drie maanden volgehouden. Daarna ging ik de zaak relativeren. Ik voelde eigenlijk niets meer, nergens last van, zou een beetje alcohol nu zoveel kwaad kunnen? Ik ging erover lezen en da's gevaarlijk, want je leest altijd naar jezelf toe. Er is acute pancreatitis en chronische. Bij acute sterf je, bij chronische niet. Ik concludeerde dat de mijne dan dus chronisch was.

Je hebt patiënten die worden tachtig met die ziekte, met een drankje. Dus waarom ik niet, dacht ik. En al snel begon ik weer te drinken en had ik mijn vertrouwde innameritme weer te pakken.

Na een tweede onderzoek, alweer terug in Nederland, zei een arts toen ik het ziekenhuis weer uit liep: 'Nou, als ik u was, zou ik mijn best doen niet meer te drinken.' Dat vond ik zo genuanceerd, zo aardig gezegd, dat het bijna een vrijbrief leek.

Enfin, onverbeterlijk. De schrik was er snel af, en de twee flessen wijn gingen er weer met dezelfde vastberadenheid in. Ons laatste, lange gesprek, Stephan, was op het hoogte- of dieptepunt van die periode. Je sprak toen dus met 47 kilogram mens. Nu weeg ik bijna 56, in vier maanden tijd opgebouwd. Er zou geloof ik best nog wat bij mogen, maar dit is goed voor mij.

Nee, ik dronk als kind niet stiekem, zoals bij veel kinderen in Suriname gebeurt. Mijn moeder was liberaal. Die kocht zelf drank voor ons op bepaalde gelegenheden. Na het slagen op school, met vrienden, of op feesten. Het werd nooit te gek, maar onder toezicht mocht ik best een glaasje.

Het probleem, het Surinaamse probleem zou ik zeggen, is dat ik altijd geweten heb dat ik te klein was, te mager. In Suriname is de machocultuur veel sterker verankerd dan hier in Nederland. Er zijn bepaalde momenten die ik mij helder voor de geest kan halen, waarvan ik weet dat het breekpunten waren. In de brugklas, bijvoorbeeld. Ik was mijn brood vergeten. Mijn moeder kwam dat brengen in de pauze. Alle kinderen van mijn school zaten buiten op het veld. Het krioelde van de kinderen. Uiteindelijk vond ze mij en overhandigde me het brood. Toen ik later thuiskwam, vertelde ze hoe ze mij, tussen al die kinderen, ontdekt had. 'Ik heb gekeken naar het kleinste, meest tengere mannetje op het veld,' zei ze. Dat vond ik verschrikkelijk. Weglopen. Kamer uit. Deur dichtsmijten. Huilen. Boos. Dat zijn van die ogenschijnlijk kleine momenten, die toch erg zwaar wegen, die bevestigen dat je anders bent, kleiner dan de rest. Je gaat dan trucjes ontwikkelen. Nee, laat ik duidelijker zijn: ík ging trucjes ontwikkelen. Emile was een vriend van me. In lengte stelde hij niet veel voor, maar hij was bijna vierkant gebouwd. Stoere, brutale kop. En vooral: Emile was niet bang voor pijn. Hij nam de gekste risico's. Hij hield van vechten, van een opstootje – precies de dingen die ik koste wat kost probeerde te vermijden. Liep ik met hem rond, dan was ik veilig.

Zelf zocht-ie het gevaar op en werd niet warm of koud van een bloedneus of een verbogen kaak, maar mij overkwam niets meer, mijn taak was het hem in bedwang te houden, en hij was mijn bodyguard.

Nee, ik heb er nooit serieus over gedacht zelf zo'n vierkant lichaam bij elkaar te trainen. Ik zocht de breedte op in woorden, in breedsprakigheid, in een zelfverzekerde stijl van lopen en opereren. Je gaat je karakter erop aanpassen. Driekwart van mijn zogenaamde 'persoonlijke eigenschappen' hebben te maken met taal, met compensatie, met overcompensatie, kan je stellen. Ik nam en neem nog wel verbale risico's. Een soort hit-and-run-spel dat ik met mijn omgeving speelde. Ik zocht manieren om mij te onderscheiden. Waarom moest ik plotseling de enige communist op school zijn? Droeg ik pontificaal een baret met een rode ster erop? Allemaal manieren om te laten zien dat je er bent, dat je ondanks je geringe lengte niet over het hoofd wordt gezien.

Ik was bijvoorbeeld de enige in onze straat die niet voetbalde. Iedereen had een functie, een verantwoordelijkheid in dat team. Ik niet. Ik klom in een boom en ging daar zitten. Ik keek er letterlijk enigszins op neer.

Een lastige tijd was mijn puberteit, want dan dringt het pas goed tot je door hoe je eruitziet.

Voorbeeld: iedereen in de familie ging in de zomer zwemmen in de Colakreek, het donkerbruine water niet heel ver van Paramaribo. Ik ging uitsluitend geheel gekleed het water in. Dat vond iedereen raar, vooral mijn vader, maar ik veranderde er niets aan. Dat is toch schaamte. Je bewust zijn van je lichaam heeft bij mij schaamte tot gevolg.

Je kunt wel zeggen: 'Maar je had toch een knap gezicht', maar toen ik jong was zag ik er tamelijk raar uit. Spitse kop, grote mond. Mijn neus moest nog aan mijn gezicht 'wennen'. Mijn hoofd had zijn vorm nog niet gevonden.

Maar als ik een grap maakte had ik de klas achter me. En dan waren er die twee minuten roem, twee minuten aandacht en bevestiging, waar het mij om ging.

Ja, ik geloof wel dat ik me in dat opzicht superieur voelde.

Ik had geen motoren, niet de juiste rugtas of een gespierd lichaam nodig om in de belangstelling te staan. Enkel taal, grappen, charme, populariteit. Ik ging heel makkelijk met mensen om, had veel vriendinnen. Altijd meer meisjes dan jongens. Aanvankelijk als broertje, of beste vriend, maar daar kwam toch regelmatig een relatie uit voort. Al speelde seksualiteit toen nog geen rol. Mijn eerste kus. Daar moesten wij over nadenken, omdat we geen echte voorbeelden hadden. Ja, de televisie. Little Joe, van *Bonanza*, die deden wij na. Lippen stijf op elkaar en dan je mond op die andere mond drukken.

Rond de vijfde van het atheneum werd seks voor mij wel een kwestie. Mijn schaamte voor mijn lichaam probeerde ik te overwinnen, en trouwens, als er wat gebeurde: altijd in het donker. Snel uitkleden. Daarna weer snel aankleden. Dat soort restanten van schaamte. Nooit samen naakt nagenieten in bed – het zou niet in mijn hoofd zijn opgekomen.

Ik beleefde geen lol aan mijn eigen lichaam. Ik vind het nog steeds een vervelende bijkomstigheid dat seks nu eenmaal naakt moet plaatsvinden. De moeilijkste tijd van mijn leven was de tijd dat mijn kinderen klein waren. Strandvakanties – en ik dan toch helemaal gekleed. Dat was heel lastig. Of in het zwembad. Je ziet andere vaders in het water spelen met hun kinderen. Dat wil je dan ook, maar het was voor mij heel moeilijk. Toch doen, uiteindelijk, voor de kinderen, enkel in een zwembroek, maar wat voelde ik me daar opgelaten bij.

Ik weiger ook nog steeds een korte broek te dragen. Mijn kinderen hebben mij nooit bloot gezien. Het ontblote bovenlijf: alleen dus toen, lang geleden in het zwembad.

Nu ook in mijn eigen tijdelijke huis, in Zandvoort, waar ik even gescheiden van mijn vrouw woon zodat we allebei weer op adem kunnen komen, loop ik rond in een badjas. Niemand die me kan zien. Ik slaap in een onderbroek, en dan meteen onder het dekbed. Zelfs alleen wil ik niet onverhoeds met dat lichaam worden geconfronteerd.

Ik kan wel heel goed naar andere mannen kijken en hun fysieke schoonheid beoordelen. Waar ik woonde in India, in mijn wijk, sportten de jongens niet, maar ze hadden wel erg mooie lichamen, echt van die lichamen die heel droog waren, gespierd, torso's die zo'n klassieke V-vorm bezaten. Ja, als ik zo'n lichaam had liep ik ook vaker bloot rond.

Ik dacht altijd dat andere mannen dat ook wel degelijk konden zien, de fysieke schoonheid van hun seksegenoten, maar dat ze er uit stoerheid niet voor durfden uit te komen; bang als watje gezien te worden. Inmiddels heb ik begrepen dat er echt mannen bestaan die wel vrouwenborsten en -konten zien, maar volledig blind zijn zodra het over andere mannen gaat. Vind ik bizar.

In mijn ogen kun je niet een intellectueel zijn en ook nog eens stevig gebouwd. Het is onzinnig, het is een ander discours, dat niet samengaat met die lichaamscultuur. Het is: óf het lichaam, een mooie stem, kleding, het uiterlijk, óf die andere wereld, van gedachten, intellect, een ander soort ontwikkeling.

Mijn sportleraar zei altijd, zoals geloof ik alle gymleraren dat plegen te zeggen: 'Een gezonde geest huist in een gezond lichaam.' Ik geloof dat niet. Ik kocht vroeger, in Suriname, van de dokter een briefje waarop stond dat je niet hoefde mee te doen aan gym. Dat kocht ik elk jaar weer. Maar ik heb één keer in mijn leven een sportieve prestatie van formaat geleverd. Kampioenschap touwklimmen. Ik klom altijd in bomen, dus daar was ik goed in. Mijn armen zijn te lang voor mijn lichaam, maar relatief erg sterk. Mijn lichaam is licht. Dus ik was goed in dat touwklimmen en won het schoolkampioenschap. Dat was, ik geef het toe, euforisch. De ultieme overwinning op al die andere jongens. Ik wilde daarna elke dag wel touwklimmen. Maar goed, dat duurde maar kort: al snel besloot ik weer dat het lichaam er was om genegeerd te worden.

Nu zie ik de veroudering. Daar ben ik ook wel trots op. Eindelijk zie ik er minder uit als een jongetje, het kleine, ondermaatse ventje. Mijn hals, de huid die minder strak staat: ik zie het met een welgevallig oog gebeuren. Eindelijk wordt die lichaamsdictatuur minder belangrijk.

Mijn vader was heel lichamelijk. Liep veel rond met ontbloot bovenlijf, al grasmaaiend. Blouse open, op de veranda, 's avonds. Ik zag het hem doen en deed het hem niet na. Juist niet. Ik was, vond ik, gelukkig heel anders dan mijn vader, veel verfijnder.

Dansen, dat is zo'n beetje het enig lichamelijke waar ik me prettig bij voel. Dansen met een vrouw. Ook een vorm van sport. Oneindig oefenen van pasjes en bewegingen, vroeger al, samen met mijn oude vriend Emile. Daar kon je de blits mee maken op feestjes. Dat vond ik wel belangrijk. Ik kreeg op die manier ook snel vriendinnetjes.

Begrijp me goed: ik ben niet gespeend van ijdelheid. Ik kan eindeloos dubben of dít of dát hemd nu goed gesneden is, of de kraag me werkelijk bevalt. Alles telt, behalve het lichaam.

Ik ben ontzettend bang voor pijn. Ik kan het grappig genoeg heel goed verdragen als het er is, maar de angst dat het komt, is gigantisch. De dreiging van pijn, of beschadiging, daar kan ik niet mee omgaan. Dat is ook een reden dat ik nooit heb willen sporten. Er zijn zoveel risico's. Ik zie vooral die dreiging en niet het plezier dat er natuurlijk ook bij hoort.

Cynisch gezegd zou je kunnen stellen dat alcoholisme ook een sport is. Topsport zelfs. Al die lichamelijke hindernissen die je voor jezelf opwerpt, en dan toch maar zo'n dag zien door te komen. *It takes a strong character.* Nu ik gestopt ben merk ik vooral dat ik veel meer energie heb, veel helderder ben. De nadelen zijn ook duidelijk: ik ben mijn bravoure kwijt, de dronkenmansmoed die ik kon gebruiken op recepties, maar ook bij het schrijven, als ik een brutale wending aan een stukje wilde geven. En je hebt de afspraken met vrienden die wel drinken en jij dus niet. Dan merk ik dat ik toch iets sneller op mijn horloge kijk, iets sneller denk: kan ik al weggaan?

Mijn vrouw zegt dat ik vooral minder gehaast ben. Kalmer. Het neurotische is eraf. Ik snap zelf die relatie tussen drank en neurose niet. Maar ik ben blij dat het weg is.

Dit typeert me geloof ik: ik ben altijd bang geweest plotseling door de mand te vallen. Bang voor het moment dat mensen zouden zeggen: maar die Ramdas, die stukjes van hem... dat is toch welbeschouwd helemaal niets. Ja, als je weet dat een vloer zwak is, is het eerste wat je doet stampen, om te kijken wáár die vloer zwak is. Ik zoek het op, ging mezelf uittesten. Hoeveel kan ik nog met twee flessen wijn op?

Drank is geen vlucht, het is eerder een bewapening. Het is een boost. Ik durf gesprekken aan met mensen die ik anders niet zou durven aanspreken. In alle milieus.

In de kroeg waar ik op het laatst veel kwam, een Koerdische kroeg in Loenen, waar veel alcoholisten kwamen, kon ik het erg goed vinden met de vaste drinkers. We deelden iets. Er was gelijkheid, broederschap. Goed, niet de vrijheid om er eens mee op te houden.

De advocaat, de arts, de steigerbouwer... allemaal hetzelfde probleem. Status en salaris vielen weg. Die kroeg behoorde tot mijn routine, mijn dagindeling. Ik was er stipt om twee uur 's middags, op een vaste plek. Daar deden ze het licht voor mij aan, werd de muziek zachter gezet, zodat ik de kranten kon lezen. Dat deed ik tot een uur of vier. Dan kwamen de mensen die gewoon werkten. Artsen, aannemers. Die gingen bij de bar staan drinken, de muziek werd dan harder gedraaid, en ik werd verondersteld me bij hen te voegen. Dan namen we de wereld door en praatten we over van alles en nog wat. Rond vijf uur, halfzes gingen we boodschappen doen en dan weer ieder naar zijn eigen huis, waar al dan niet mensen op ons wachtten.

Natuurlijk werd daar over alcoholisme gepraat. Welbeschouwd ging het nergens anders over. Waar denk je dat mijn kennis van de pancreas vandaan komt? In zo'n kroeg wordt dat buitengewoon academisch uiteengezet. Allemaal specialisten. In de tijd dat ik die kroeg bezocht, zijn er twee mensen overleden aan alcohol. Toen ik stopte met drinken en die mannen nooit meer zag, werd ik een keer gebeld. Waar ik bleef. Toen ik zei dat ik niet meer dronk, riepen zij dat dat toch niet betekende dat je je vrienden niet meer opzoekt?

Nee, ik zag die mensen niet als vrienden. Ik wist dat we een tijdelijke overeenkomst hadden gesloten – die duurde zolang er nog drank in de fles zat.
Maar het was heel prettig, *for the time being.*
Ik was daar de intellectueel. Ik legde ze uit hoe de kredietcrisis werkte. Toch nog het mannetje, toch nog de beste in het touwklimmen – al werd ik dan omringd door levende lijken.

Nu ik niet meer drink, speelt de oude verlegenheid weer op. Laatst was ik op een borrel waar heel literair Amsterdam aanwezig was. Normaal dronk ik dan een paar wijntjes en sloeg mij met verve door zo'n avond heen, wist de juiste dingen te zeggen, de goede grappen te maken. Nu ging ik aan de rand zitten, op een stoel tegen de muur, ik kon geen ingang vinden. Zag geen manier om erbij te horen, voelde mij er niet thuis. Hoe langer dat duurt, hoe moeilijker het wordt. Die verlegenheid is er dan meteen weer, de oude bekende uit mijn jeugd die ik met succes verslagen dacht te hebben.

Ach, die lust om te drinken... het heeft iets sensueels, alcohol. Het is... ja, misschien is het voor mij wel de lichamelijke sensatie bij uitstek. En kijk mij nú eens, met mijn 7Up. Maar ik weet dat ik ooit weer zal drinken. Ik heb mijn omgeving, mijn gezin, beloofd dat ik mij tien jaar zal onthouden. Het is geen *lifetime agreement.* Ik ben voor mijn gezin gestopt. Niet voor mijzelf. Zij hadden er last van. Dan zaten we een film te kijken en maakte ik opmerkingen in dronkenschap, en zag je ze langzaam afhaken, naar hun eigen kamers waar ook tv's stonden. Ik was te nadrukkelijk aanwezig. Als ik dan alleen over was, nam ik lekker nog een glaasje; eigen schuld, dacht ik dan, *their loss*. Maar het werd mijn verlies, het verlies van contact met alles en iedereen die me dierbaar zijn.

De positieve gevolgen van het niet-drinken zie ik als bonus. Dat krijg je erbij, maar het belangrijkste is dat je jezelf niet meer belachelijk maakt voor de mensen om je heen, dat je die mensen niet van je afstoot, dat je ze niet kwijtraakt.

Als ik nu terugkijk op de periode dat ik stevig dronk, is het ergste niet dat ik met een black-out op de grond lag, door die pancreatitis, niet de opnames in het ziekenhuis niet de algehele staat van zwakte en beroerderigheid waarin ik verkeerde. Nee, het ergste is dat anderen mij zo hebben gezien. Ze hebben mij meegemaakt in die volstrekt onbeholpen, dronken situatie. De schaamte daarover, dat is het ergste.

Ondertussen weet ik donders goed wat er zo heerlijk was aan dat drinken: het ongeremde. Tot de rand gaan. Alle remmen los. Dat is een heerlijk gevoel. Schrijven met drank op is als zwemmen in honing. Het schiet misschien niet echt op, maar het voelt als... naakt zwemmen. Althans, zo stel ik me dat naakt zwemmen voor.

JOEP JASPERS (60)

Borzi de Krachtpatser was het favoriete personage uit het prentenboek dat Joep Jaspers als kind verslond. Een opmerkelijke keuze voor een jongetje dat enkele jaren later naar het gymnasium ging en nog weer later Nederlands studeerde, zich wijdde aan de taal, en jarenlang schrijvers trainde. Borzi de Krachtpatser. De fascinatie voor de spieren van deze kinderboekacrobaat lag misschien wel aan de basis van zijn leven, want Joep wist zeker dat niet alleen zijn geest van belang zou zijn, maar ook z'n lichaam, dat hij dan wel op een gymnasium zat, maar niet of nauwelijks bewust was van zichzelf. Groei van alle faculteiten en vaardigheden, dat werd later zijn motto. Niet alleen de boeken. Ook de spieren. Aristoteles zou trots op hem zijn, en hij zou het ons vast vergeven dat het in dit boek alleen over het lichaam gaat.

Het mannelijk lichaam fascineert mij al vanaf mijn tiende levensjaar. Ik zat op een kostschool, een jongenspensionaat. De oudere jongens knoopten op zomerse feesten vaak een extra knoopje van hun witte overhemden los. Dat vond ik spannend en ik kon uren naar die jongens kijken. Later, op het gymnasium, zette de fascinatie door. Ik ben gevormd in de klassieke traditie van het mannelijk lichaam. Bij cultuurgeschiedenis stonden afbeeldingen in de boeken, van Grieken met blote lichamen. Dat was snoepen.

Ook tijdens de gymlessen kon ik mijn ogen de kost geven. Het was op jongensscholen in die tijd heel normaal dat je met gymnastiek je shirt uittrok. Als we in teams tegen elkaar speelden verdeelde de leraar de partijen in 'hemmetjes' en 'blootjes'. Ik probeerde zelf altijd bij de blootjes te horen...

Tegenwoordig is dat anders. Misschien komt het omdat de scholen gemengd zijn en je niet meer met jongens onder elkaar bent. En de afgelopen decennia zie je in het algemeen wel een soort 'restauratie' tegenover de vrije jaren zestig en zeventig. Ook in de sportschool zie je dat: het zijn vooral de oudere mannen die zich vrijer durven te kleden. De jongens trainen het liefst in T-shirt, ze dragen lange trainingsbroeken. Bij pubers begrijp ik dat. Die hebben nog wel eens moeite met hun lichaam. Maar die jonge sterke mannen zouden trots moeten zijn op wat ze hebben en het aan de wereld moeten tonen. Ze durven tegenwoordig alleen hun onderbroek te laten zien. Die trekken ze hoog boven hun spijkerbroeken uit. Verder lijkt het alsof ze zich schamen voor hun lichaam. Al die wijde kleding. Zonde is het.

Ik vind het mannenlijf het mooiste wat er bestaat. In musea word ik geraakt door kunst uit de renaissance, juist als die mannenlijven erop staan afgebeeld. Wanneer ik ergens een Sebastiaan zie hangen of een David zie staan, ach, dan ben je mij echt even kwijt. Daar kan ik helemaal in opgaan. Ik kijk dan niet eens zozeer naar het geslacht van de man. Nee, de torso. De vorm. Die combinatie van buik, borst en armen. Dat oneindige scala aan variaties waarin al dat moois is vastgelegd. Prachtig.

Zoals heteromannen vaak een obsessie hebben met de borsten van een vrouw, zo ben ik misschien wel geobsedeerd door de torso van de man. Maar dan wel strak, droog en gaaf. Die voorkeur heb ik mijn hele leven gehad. Toch is de kern van de fascinatie wel veranderd. Tien, twintig jaar geleden associeerde ik mijn liefde voor het mannenlichaam sterker met seksualiteit. Ik merk dat ik nu mijn schoonheidsbeleving heel goed kan hebben zonder dat ik dat in mijn gedachten meteen aan seks koppel. Het is nu meer, zoals het in mijn jeugd ook was, een esthetische aantrekkingskracht.

Over mijn liefde voor het mannenlichaam heb ik in mijn jonge jaren nooit met anderen gesproken. Dat kon niet in het katholieke zuiden van de jaren zestig. Ik voelde natuurlijk ook wel die sluimerende homoseksualiteit, al gaf ik daar geen woorden aan. Maar ik romantiseer het ook niet. Dat hoor je wel eens, hè? Dat mensen achteraf herinneringen invullen die mooi aansluiten bij hun huidige leven of karakter. Nee, ik kan mij het gevoel van opwinding uit mijn jeugd nog heel levendig herinneren. Op een gegeven moment zat ik in een klas bij het raam dat uitkeek op de kleedkamer van het gymlokaal. Ik genoot van het loeren naar de jongens, hun lichamen, de spieren. Fantastisch. Anderen is het nooit opgevallen. Niemand heeft er ooit iets van gezegd. Ik hield die ervaring voor mijzelf. Het was een innerlijke kwestie. En meer esthetisch dan seksueel. Vooral op die leeftijd, zo rond mijn dertiende, veertiende.

Van mijn eigen lichaam was ik aanvankelijk niet zo onder de indruk. Ik zat bij de Katholieke Zeeverkenners in Venlo, die jongens waar Gerard Reve zo dol op was. We roeiden veel. Als galeislaven. Ik kreeg daardoor een sterke rug en moet een redelijk gespierd lijf hebben gehad. Ik herinner mij wel de kracht, maar niet mijn bouw uit die tijd. Mijn kracht kon ik inzetten. Dat bleek tijdens de gymlessen. Ik was kampioen touwklimmen, kon het vaakst op en neer klauteren en kreeg daarom steevast een tien. Hoewel ik in die tienerjaren seksueel niet actief was, ook niet met mezelf, stamt mijn eerste seksuele herinnering wel uit die tijd. Tijdens dat touwklimmen schoot een flits van genot door mijn onderbuik. Altijd weer. Wat gebeurt er nu, dacht ik dan. Het moet te maken hebben met dat touw tussen mijn benen, de krachtsinspanning en het feit dat al die andere jongens bewonderend naar mij keken op dat moment. Een heerlijke sensatie. Toch resulteerde die niet in een diepere nieuwsgierigheid naar seksualiteit. Pas heel laat werd ik seksueel actief.

Ik leidde een kloosterleven op die jongensscholen. Ik ben pas ver daarna, op mijn vierentwintigste, uit de kast gekomen. Dat was ook de tijd dat ik mijn bril verwisselde voor contactlenzen en voor het eerst merkte dat mensen, mannen, mij aantrekkelijk vonden. Het heeft tot gevolg gehad dat ik fanatiek ben gaan sporten. Vooral omdat ik vond dat ik aan mijn conditie moest werken. Ik was gestopt met roken en merkte dat mijn lichaam langzaam veranderde. In negatieve zin.

In 1982 werd Gerard Nijboer Europees Kampioen op de marathon. Dat vond ik geweldig. Ik ben toen meteen zelf begonnen met hardlopen en ik ben nooit meer gestopt. Het enige wat me soms tegenhoudt, is dat ik een slechte achillespees heb en daarom heel af en toe genoodzaakt ben een tijdje niet te rennen. Maar dan pak ik de fiets. Dat werken aan mijn conditie, die cardiovasculaire training zoals dat heet, is een centraal element in mijn leven geworden. In mijn training ook. Toen ik met hardlopen begon zag ik mijn lichaam veranderen. Ik heb een goede bouw, dus zie nooit het drastische resultaat dat een dikke man zal boeken als hij gaat rennen, maar de groei van mijn beenspieren en het harder worden van mijn bovenlichaam motiveerden mij om door te gaan. Ik besloot ook met gewichten te gaan trainen.

Toch ben ik pas aan het begin van de jaren negentig voor het eerst een sportschool binnengelopen. Ik voelde mij daar meteen thuis, wist direct dat het echt iets voor mij was. Er hing een sfeer zoals ik die mij voorstelde van het oude Griekenland. Mannen die werken aan hun lichaam, in de weer zijn met gewichten en ijzer. Drie keer in de week ging ik ernaartoe en dan trainde ik vier uur lang. Ook dat trainen ben ik altijd blijven doen. Al doe ik tegenwoordig nog maar sessies van drieënhalf uur.

Mensen noemen wat ik doe vaak bodybuilding. Ik vermijd dat woord. De associatie met anabole steroïden is te sterk. En daar ben ik fel tegen. Ze maken het lichaam onnatuurlijk. Die veel te grote lichamen vind ik onsmakelijk. Natuurlijk atletisch moet het zijn, goed geproportioneerd en strak.

Alles wat ik doe aan sport staat in het teken van schoonheid en gezondheid. Ik gebruik wel voedingssupplementen, maar alleen natuurlijke producten. Alles legaal. Daar ga ik heel bewust mee om. Ik heb thuis een grote bak proteïnen staan, 'whey' noemen ze dat, voor het spierherstel. Dat gaat 's ochtends door de brinta met magere melk. Na het trainen neem ik ampullen met aminozuren. *Amino Explode.* Echt heel smerig. En ik gebruik om de zoveel maanden wat creatine, om mijn spieren voller te maken. Zes weken op, zes weken af, zodat mijn lichaam het zelf ook blijft aanmaken. Naast die trainingssupplementen slik ik nog omega-3-vetten, of visolie, en ik neem wat extra calcium voor mijn botten. Verder kook ik zelf, zo gezond mogelijk.

De fysieke ontwikkeling die bij trainen hoort, vind ik fantastisch. Het liefst laat ik dat aan iedereen zien. Als het weer het toelaat ren ik buiten zonder shirt. Heerlijk. De voldoening zit hem allereerst in een gevoel van vrijheid. Ook als er geen mensen zijn, bijvoorbeeld in de duinen, ren ik het liefst met ontbloot bovenlichaam. De wind die langs je huid glijdt. Het voelt sexy. Alsof ik één ben met de omgeving. Er zit niets meer tussen. Dan komt ook weer even het gevoel van mijn schooljeugd terug. Maar daarnaast speelt nu ook het showelement een rol. In de bebouwde kom trek ik mijn shirt ook gewoon uit. Heel soms levert dat verstoorde blikken op. Maar meestal reageren mensen positief. Ook als ik gewoon gekleed ben trouwens. Mensen benaderen mij over het algemeen positief. Het gebeurt heus wel eens dat iemand niet zo blij is met mijn exhibitionisme. Een meisje riep een keer: 'Nou, meneer dat mag niet hoor, zo bloot.' 'Van wie niet?' roep ik dan terug.

Er zit bij de ingang naar het park altijd een groepje hangjongeren. Die vinden het prachtig als ik langskom. Dan krijg ik *cheers*. Ben ik meteen een held. Soms rennen ze een stukje mee. 'Moet ik nu ook mijn shirt uittrekken, meneer?' roepen ze dan. Ik zou het mooi vinden als meer mensen hun lichaam lieten zien in de openbare ruimte. Wees vrij. Ik word er blij van als ik jonge jongens met ontbloot bovenlijf door de stad zie lopen of fietsen. Natuurlijk moet je ook rekening houden met anderen. Heel af en toe op zondag houd ik mijn shirt aan. Dan lopen er veel oudjes in het park. Maar er zijn ook dagen dat ik denk: die oudjes kunnen wel een verzetje gebruiken... uit dat shirt!

Het is geen seksueel gevoel. Ik zou nooit naakt gaan rennen. Daar heb ik geen behoefte aan. Maar vrijheid is ons grootste goed en dat strekt zich wat mij betreft ook uit tot de manieren waarop je jezelf kunt manifesteren. Dat betekent overigens niet dat naakt de norm moet zijn. Tenminste, niet geïnstitutionaliseerd. Als het zou moeten, zou ik het niet meer leuk vinden. Ik ga in de zomer regelmatig naar het naaktstrand. Maar een nudistenterrein zou ik nooit bezoeken. Dat is zo verplicht, zo gestuurd. Ik word daar niet erg blij van als ik volwassen mannen verplicht in hun blootje zie volleyballen. Nee, het moet om vrijheid gaan. Om eigen keuzes. Ik doe het ook niet om mij van anderen te onderscheiden. Als iedereen het spontaan zou doen, zou ik dat prachtig vinden. Er is toch niets mooier dan een jong, strak lichaam?

Het liefst zou ik zelf weer zo'n lichaam van 22 hebben. Ik zie er misschien jong uit voor mijn leeftijd, maar als ik die jongere lichamen zie, denk ik toch: had ik dat nog maar.

Ik heb wel eens een chirurgische ingreep overwogen. Maar ik geloof niet dat ik het ooit zal doen. Mijn lichaam is behoorlijk strak. Dat kan ik trainen. Met mijn gezicht kan dat niet. Dat zal in de loop der jaren meer gaan hangen. Maar het nadeel van zo'n ingreep is dat het resultaat zo onnatuurlijk is. Mensen worden er lelijk en onpersoonlijk van. Er komt geen karakter meer uit zo'n kop naar voren. Een gezicht moet sprekend zijn.

Ik denk veel na over wat mij zo aanspreekt in het trainen van mijn lichaam. Wat mij motiveert. Het begint ermee dat ik het nodig vind. Ik wil mijn vorm behouden, in de markt blijven. Niet dat ik met iedereen het bed deel. Integendeel, ik ben, met name de laatste tien, vijftien jaar, heel monogaam. Ik flirt wel veel. Daar geniet ik van. Het spel is heerlijk om te spelen. 'Hij kon het lonken niet laten,' zong Wim Sonneveld. Dat had over mij kunnen gaan. Maar de behoefte om het flirten door te trekken tot onder de lakens is er niet meer. Met de vorm behouden, het in de markt blijven, bedoel ik misschien eerder het aantrekkelijk gevonden worden. Het blijven meetellen. Ik wil dat mensen denken:

die jongen ziet er goed uit. Ze mogen ook best vinden dat ik een beetje typisch ben. Als het maar positief blijft. Een bewonderende blik of opmerking kan mijn dag goed maken. Ik houd erg van positieve feedback. Ben daar gevoelig voor. Net zoals ik gevoelig ben voor negatieve reacties. Buitengewoon onprettig. Daar kan ik behoorlijk over gaan tobben, onzeker van worden. Trainen geeft mij juist zekerheid.

Die toenemende zekerheid, of het zelfvertrouwen, is absoluut ook een van mijn motivaties om te blijven trainen. Op het moment dat ik groter, strakker ben, neemt mijn zelfvertrouwen toe. Ik was vroeger nog wel eens bang, als klein jongetje met bril. Nu ben ik nooit bang. Op mijn sportschool zitten veel Turkse en Marokkaanse jongens. Ik maak er geen geheim van dat ik homo ben. Maar we hebben de grootste lol. Die jongens hebben respect voor mijn fysiek. Misschien ook wel voor mijn leeftijd.

Ook die leeftijd zorgt voor een veel grotere mate van zelfvertrouwen. Ouderdom brengt wijsheid. Er is steeds minder onbekend of onzeker. En het mooie is dat ik weinig last heb van de nadelen van deze leeftijd omdat het sporten, de wijze waarop ik omga met mijn lichaam, mij het gevoel geeft dat ik controle heb over het ouderdomsproces. Ik kan dat proces negeren. Ik breek deze jaren in de sportschool nog steeds mijn eigen records. Niet lang geleden heb ik op de *leg press* vijfhonderd kilo gedrukt. Dan roep ik al die jonge kerels erbij. Vinden ze schitterend. Mijn vriend zegt: 'Joep doet altijd een wedstrijd.' Dat doe ik ook als ik train, en dat blijf ik doen. Waarom zou de vooruitgang stoppen als je ouder wordt? Mensen roepen nu, op mijn zestigste, ook al dat wat ik allemaal doe fysiek niet zou moeten kunnen. Waarom niet? Ik doe het toch? De enige concessie die ik in al die jaren heb gedaan, is het veranderen van mijn trainingsduur. Vroeger vier uur. Nu drieënhalf. En natuurlijk gaat er wat veranderen als ik straks zeventig ben, of tachtig. Maar daar kan ik mij nu nog niet door laten beperken. Ik wil zelfs rekening houden met de kans dat ik dit kan blijven doen.

Alles in mijn leven draait om groei. Ontwikkeling. Zowel geestelijk als lichamelijk. Je moet vooruit blijven gaan. Beter worden. Sterker. Groter. Meer kennis hebben. Ik ben altijd die gymnasiast gebleven, zoekend naar klassieke wortels. Het streven een *homo universalis* te zijn.

PATRICK VAN DAM (39)

Patrick van Dam is de artdirector van *Playboy Magazine*. Hij coördineert de fotoreportages voor het blad, gaat mee naar de exotische locaties, kiest de foto's uit, hangt hele dagen met zijn neus boven gefotoshopte beelden van blote vrouwen. Zou je daardoor anders gaan kijken naar je eigen lichaam?

Ik heb rood haar en sproeten. Vroeger was ik een mager mannetje. Weinig sportief. Anders dan de rest en daardoor minder populair. Hé, rooie dit. Hé, rooie dat, riepen ze op school. Mijn ouders speelden daar handig op in door mij thuis ook rooie te noemen. Vooral oudere mensen konden mijn uiterlijk waarderen. Oh, je rode krullen, die lieve sproeten. Als we in Italië op vakantie waren, riepen ze *bellissimo, bellissimo*. Maar leeftijdgenoten dachten er anders over. Ik moest het voor mijn gevoel altijd afleggen tegen die donkerharige sportman die in de zomer knetterbruin werd. Door mijn huidtype verbrandde ik snel en omdat ik ook geen sportieve aanleg had, was ik zeker niet de bink van de klas. Ik vond dat heel vervelend. Na gymnastiek stapten alle jongens onder de douche. Ik ging thuis douchen. Ik schaamde me voor mijn magere, bijna lichtgevende lichaam. Ik ging niet graag naar het strand, ik werd toch niet bruin en had een enorme hekel aan de o zo belangrijke zonnebrandcrème, dus concentreerde ik mij liever op dingen waarbij mijn lichaam geen rol speelde, waar ik wel goed in was. Ik tekende veel. Ontwikkelde mijn creativiteit en verbale vermogen. In de klas werd ik een grappenmaker. De jonge variant van André van Duin. Een masker dat ik mezelf voor kon houden om de aandacht van mijn uiterlijk af te leiden. De positieve bevestiging die mij dat opleverde gaf mij meer zelfvertrouwen. Eerder kleurde ik al rood als iemand mij aankeek, maar nu kreeg ik steeds meer aandacht van meisjes en ging daar ook beter mee om. Zo rond mijn zeventiende had ik geen moeite meer met hoe ik eruitzag. Ik merkte dat er, ook van mijn eigen leeftijd, best veel mensen waren die mijn uiterlijk, dat rode haar, juist interessant vonden. Omdat het anders was dan de rest. Anders zijn kon dus ook positief uitpakken, leerde ik. Maar daar was veel bevestiging voor nodig. Die kreeg ik vooral van mijn eerste vriendinnen. Die zeiden dat ze mij leuk vonden, of lekker. Een toffe gast.

Meisjes vielen op mij omdat ik anders was. Omdat ik lief was en goed luisterde. Omdat ik grapjes maakte. Maar niet om mijn lichaam, vond ik zelf. Dat schoonheidsideaal van die gespierde man met zijn gebruinde lijf zat heel diep. Het resulteerde erin dat ik zo nu en dan een sportschool bezocht. Maar na een tijdje gaf ik dat dan weer op. Ik vond het saai en kon de discipline niet opbrengen. Bovendien zag ik geen resultaat. Ik heb mijn ideaal toen maar laten varen. Tot ik een tijdje geleden thuis op de bank naar een film zat te kijken met Will Smith. Die kende ik vooral van de televisieserie *The Fresh Prince of Bel Air* en zie ik sindsdien toch als een soort stripfiguur. Komisch, slungelig. Maar in deze film had hij plotseling een grotemensenlichaam. Volle, ronde spieren. Afgetraind. Het was dus tóch mogelijk. Zodra de film was afgelopen, heb ik mijn M&M's aan de kant gelegd en ben ik op internet gaan zoeken naar *personal trainers*. Zo deden ze dat tenslotte in Hollywood. Ik kwam op de website van Guy van der Reijden, een autoriteit op het gebied van *personal training*. Al noemt hij het zelf liever *coaching*. Hij begeleidt een groot aantal bekende mensen, van televisie en uit de zakenwereld. Ik besloot een afspraak met hem te maken bij Special Sports in Amstelveen, waar Guy zijn trainingen geeft. De eerste vraag die hij mij stelde ging over mijn motivatie. Het doel om te sporten. Ging het mij om de gezondheid of om het cosmetische aspect? Ik vertelde hem dat ik een atletisch lichaam wilde. Borstpieren, biceps. Een sixpack. Het liefst binnen zes maanden tijd. Dat zou moeilijk worden met mijn lichaam. Ik heb van nature de bouw van een spijker. Maar het was niet onmogelijk. Als ik maar bereid was hard te werken. Vier keer per week een uur naar de sportschool. En ik moest op dieet. Volgens Guy at ik te weinig. Ik woog 74 kilo. Dat moest meer dan 80 worden. En dan ging het niet gewoon om meer van hetzelfde te eten. Nee, er kwam een strak dieet op tafel. Van amper drie eetmomenten op een dag moest ik naar zes eetmomenten. 's Morgens begon ik met een bak magere kwark, waar ik dan een banaan en een handje muesli door gooide. Je kon er een muurtje mee metselen. De eerste dagen zat ik daarna zo vol dat ik mij niet voor kon stellen dezelfde dag nog iets naar binnen te werken. Maar naarmate ik meer sportte, werd het makkelijker. Ook op de andere eetmomenten, eieren, verse groenten, kip, tonijn, noten en shakes, ging mijn lichaam zelfs om voeding vragen.

De vier dagen in de sportschool werkte ik met Guy aan mijn fysiek. De eerste dagen liep ik met elastieken benen naar buiten. De spierpijn was ondraaglijk. Maar ook dat werd minder. Mijn lichaam werd snel zwaarder, de spieren voller en harder. Na de eerste maanden begon ik natuurlijke voedingssupplementen te gebruiken. Glutamine voor het spierherstel. Whey voor de eiwitshakes. En creatine, een stof die ook in vis en vlees zit en ervoor zorgt dat je spieren meer bloed toelaten, en dat je langer door kunnen trainen. De grote vaten waar de poeders in geleverd worden, verstopte ik achter in een keukenkastje omdat ik niet wilde dat mijn vrienden ze zagen. Zo nu en dan kreeg ik op mijn werk en omgeving al vragen over mijn groeiende fysiek. Hé, Pat, ben je aan het trainen of zo? Ik reageerde er nonchalant op, maar de voldoening was groot. Na het douchen gunde ik mezelf regelmatig een wat langere blik op mijn veranderende lichaam. Ik spande mijn spieren en keek ernaar in de spiegel. Nooit eerder had ik gevoeld hoe het is om gespierd te zijn. Om zo'n spier op te zien zwellen, te voelen zwellen, als je een vuist maakt en je arm aanspant.

Tegen het einde van de zes maanden waarin ik mij had voorgenomen een nieuw lichaam te hebben, werd ik opnieuw geconfronteerd met een nieuwe ervaring. Twee zelfs. Al hebben ze direct met elkaar te maken. Ik zag de weegschaal boven de 80 kilo uitslaan. Een vreemde gewaarwording als je nooit meer dan 75 hebt gewogen. Maar de nieuwe ervaring die in het verlengde van dat toenemende gewicht lag, maakte nog meer indruk. Mijn hele leven had ik T-shirts in de maat small gedragen, mijn jasjes zaten altijd strak gesneden, broeken precies goed. Een tijdje zat al die kleding gewoon wat strak. Maar al snel kreeg ik mijn lichaam er niet meer in. Ik heb tassen vol goede maatkleding, pakken, broeken, shirts en overhemden bij het Leger des Heils afgeleverd. Dat was een dubbel gevoel. Aan de ene kant ging het mij aan het hart dat ik die goede kleding weg kon gooien. Maar aan de andere kant was het een kroon op al het harde werk. Een bewijs dat het strenge dieet en de pittige trainingen hun vruchten afwierpen.

Gek genoeg merkte ik aan mijn omgeving ook dat mensen moesten wennen aan dit nieuwe lichaam.

Mijn vriendin bijvoorbeeld. Ze had mij als de spijker leren kennen. En nu was er ineens een lichaam met spieren. Ze heeft wel gezegd dat ik het niet te bont moest maken. Dat het wel goed was zo. Ze was bang dat ik een bodybuilder wilde worden. Nu vindt ze het mooi, bemoedigt ze mij zelfs. Sowieso is het een misvatting dat vrouwen van die hele gespierde lichamen altijd maar mooi vinden. Vrouwen in mijn omgeving waarschuwden bijna zonder uitzondering dat ik niet te groot moest worden. Juist omdat ik veel mensen om mij heen heb die er wat van zullen zeggen als het te gek wordt, ben ik niet bang dat het bij mij uit de hand zal lopen. Ik heb daar de bouw niet voor. En het is ook nooit mijn doel geweest om zo'n heel grote jongen te worden. Ik heb wel respect voor ze, omdat ik nu weet wat ze hebben moeten doen, en vooral ook hebben moeten laten, om dat fysiek te bouwen. Ik wil een goed getraind en fit lichaam hebben. Strak, maar niet dat hele ronde.

Ik vergelijk het wel eens met de meisjes die ik tegenkom in mijn werk als artdirector bij *Playboy*. In hoeverre is wat ik doe met mijn lichaam anders dan wat onze playmates doen? Wat betreft het nastreven van een ideaal komt het grotendeels overeen. Ze streven een bepaald schoonheidsideaal na. De ultieme playmate, met blonde haren, lange benen en grote ronde borsten. Tot op zekere hoogte is dat mooi. Maar als dat streven uit de hand loopt, wordt het lelijk. Je moet wel je grenzen kennen. Het moet allemaal niet té perfect zijn. Dat is saai. Schoonheid zit in imperfecties. Daarmee kun je jezelf onderscheiden.

En je moet jezelf altijd de vraag blijven stellen voor wie je dit ideaal nastreeft. Doe het voor jezelf en niet voor anderen. Ik heb keihard moeten werken om mijn lichaam gespierder te maken. Ik ben er trots op dat ik het op deze manier gedaan heb. Bloed, zweet en tranen. Discipline. Ik ben niet naar een chirurg gestapt. Daarnaast is het schoonheidsideaal bij mij alleen het vertrekpunt geweest. Ik zie de verandering, de wijze waarop ik met mijn lichaam bezig ben, veel meer als een levensstijl. Deze invulling van mijn leven maakt mij een beter mens. Dat gaat veel verder dan mooi zijn, of een ideaal nastreven. Het brengt balans in mijn bestaan. Zelfvertrouwen ook. Misschien zit hem dat wel het meest in de overwinningen die ik boek als ik weer gesport heb. Als ik dat dieet weer volgehouden heb. De verleiding heb weerstaan om niet naar een reep chocola te grijpen. We zijn na die zes maanden samen blijven trainen. Je bouwt toch een band op als je zo intensief bezig bent. Natuurlijk gebeurt het wel eens dat ik geen zin heb. Soms heb ik het zo druk dat ik 's avonds overweeg Guy af te bellen. Als ik eraan denk dat hij staat te wachten in de sportschool, besluit ik toch weer te gaan. Ik kan het niet maken hem te laten zitten. Het gevoel van voldoening als ik op dat soort dagen 's avonds de sportschool uit loop, is onbeschrijflijk. Trots. Op mezelf. Maar ook het schouderklopje van Guy doet op zo'n moment veel. Ik voel dat ik een stap heb gezet. Dat ik mijzelf heb overwonnen. Dat ik weer verder ben. Wel de discipline heb waar het mij op het gebied van sport altijd aan ontbrak.

Kracht. Misschien is dat de beste omschrijving voor wat ik gewonnen heb door op deze manier met sport en gezondheid, met mijn lichaam, bezig te zijn. Als ik vroeger ergens niet goed in was of het niet leuk vond, gooide ik de handdoek in de ring. Ik ben de mentale strijd aangegaan en heb op de eerste plaats aan mezelf, en daarna aan mijn omgeving, bewezen dat ik mij tot alles kan zetten als ik dat echt wil. En ik heb daarvoor niet de makkelijke weg gekozen. Ik voel me een beter, sterker mens. In die wetenschap is het voor mij ook makkelijker geworden negatieve prikkels te doorstaan. Vroeger liet ik mij daardoor uit het veld slaan. He, rooie dit. He, rooie dat. Ik hoor het ze nog roepen. Maar deze rooie trekt tegenwoordig zonder aarzeling zijn shirt uit op het strand. Schoonheid is misschien niet maakbaar. Maar zelfvertrouwen wel.

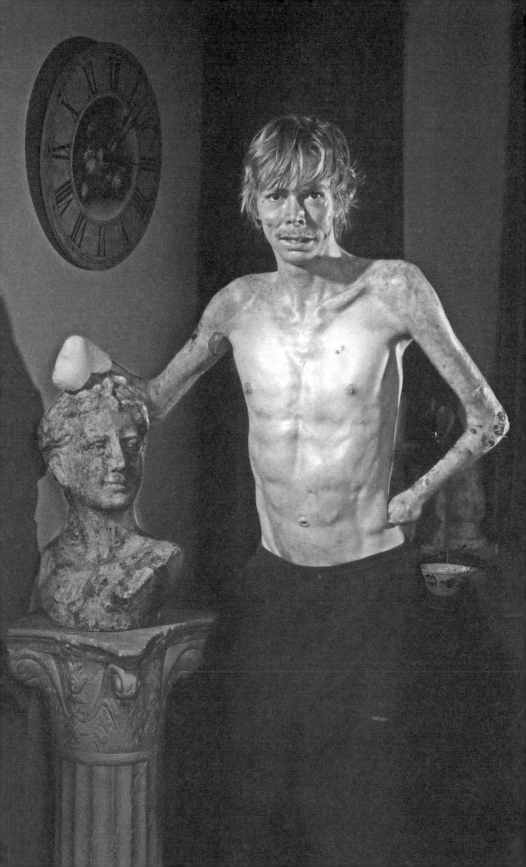

BOR VERKROOST (32)

Toen wij Bor Verkroost voor het eerst ontmoetten waren wij in gezelschap van een vrouw. Na de ontmoeting liet zij zich ontvallen dat ze hem een aantrekkelijke man vond. Attent, grappig, welbespraakt. En die ogen... Bor Verkroost kijkt met fonkelende ogen de wereld in. Levenslust. Zijn ziekte EB remt hem zo nu en dan wat af, maar hij laat zich er niet door uit het veld slaan. In afgelopen jaren zette hij een eigen bedrijf op poten, I-UP, waarmee hij een informatief platform biedt voor de wereld van het gamen. Tips, tricks, recensies en columns. Daarnaast werkt hij aan een film, waarmee hij wil laten zien dat een ziekte, of handicap, je er niet van hoeft te weerhouden alles uit het leven te halen. Een inspirerend mens, met een ongekende dosis humor. Hij ontving ons thuis, of in de 'natuurlijke habitat van de Bor', zoals hij het zelf noemt. Een omgeving die je niet onberoerd verlaat.

Ik ben niet gek op mijn lichaam. Al zie ik er soms wel goddelijk uit. Mijn torso bijvoorbeeld. Daar ben ik trots op. Ik heb een sixpack. Hoeveel mannen kunnen dat nog zeggen?

Mijn ziekte epidermolysis bullosa, kortweg EB, is een genetisch bepaalde huidziekte. Je wordt ermee geboren. Er is een gen beschadigd waardoor blaren en erosies op het lichaam voorkomen. Wereldwijd lijden er zo'n 500 000 mensen aan.

Bij mijn soort, dystrofische EB, zie je vooral dat blaren en erosies zich op en vlak onder de huid bevinden. Er is een ergere variant van deze ziekte, waarbij de blaren veel meer aan de binnenkant van het lichaam zitten, op de organen. Kinderen met die variant worden meestal niet ouder dan tien. Maar ik zou zomaar de veertig kunnen halen, of vijftig. Misschien zelfs de zeventig. Ja, ik wil eigenlijk die zeventig wel halen. Dan vestig ik het record voor een EB-patiënt. Dat staat nu op zevenenzestig.

Mijn ouders zijn allebei drager van het gen. Zelf hebben ze de ziekte niet, maar omdat ze drager zijn, kreeg ik het wel. Je ziet het niet direct bij de geboorte. Ik kwam normaal uit de baarmoeder. Een forse, ogenschijnlijk gezonde baby. Maar na een halfuur, of een uur, lieten mijn vingernagels los, kreeg ik allemaal blaren. De ziekte openbaarde zich. Al die onregelmatigheden die je nu op mijn huid ziet, ontstonden toen plotseling heel snel. Artsen denken dat het vruchtwater een helende werking heeft, waardoor EB zich pas openbaart als de baby uit de baarmoeder is. In 1978 kende niemand de ziekte. Na mijn geboorte hebben ze drie maanden gezocht naar een medische verklaring. Ik kreeg blaren in mijn slokdarm. Ze waren bang dat ik zou sterven aan ondervoeding. Dat hebben ze tegen mijn moeder gezegd. Ga er maar van uit dat dit kindje niet langer leeft dan een maand of drie, vier. Uiteindelijk kwam ik toch door dat ergste moment heen. Ik was een forse baby en kon blijkbaar aardig interen op mijn speklaag. Zestig of zeventig procent van mijn lichaam lag open. Toch besloten mijn ouders mij mee naar huis te nemen om mij zelf te verzorgen. In die tijd had je verder helemaal geen houvast.

Ik heb geen broers en zussen. Mijn ouders hadden, naast hun werk, de handen vol aan mijn verzorging en leefden die eerste jaren steeds in onzekerheid over mijn leven. De kans dat ze nog een EB-kind zouden krijgen, wilden ze niet nemen. Die kans is bij twee dragers van het gen vijftig procent als je al een EB-kind hebt. Ze durfden het risico niet te nemen. Ik vind het goed dat ze daarvoor gekozen hebben. Twee van die kinderen, dat kun je niet aan. Al die operaties. Elke dag verbandwisselingen, wonden schoonmaken. Zo'n kind leeft met pijn, jeuk, heeft veel aandacht nodig. Als je het van tevoren weet, wil je dat je kind, maar ook jezelf, allemaal niet aandoen. Ik heb mijn moeder wel eens gevraagd of ze niet voor een abortus had gekozen als ze wist dat ik EB zou krijgen. Zij zegt van niet. Ik zou dat wel doen. Ik had het normaal gevonden als zij daar ook voor gekozen had. Mijn ouders zijn vierenhalf jaar na mijn geboorte gescheiden.

Zelf heb ik ook een relatie gehad. Voorlopig de mooiste tijd van mijn leven. Ik ben door mijn beperking aangewezen op huishoudelijke hulp. Tijdens een sollicitatieronde kwam er een ontzettend leuk meisje langs. Ze had niet de juiste papieren voor het werk, maar ze was heel zorgzaam. Het klikte tussen ons. En omdat de zorg een potentiële relatie ernstig in de weg zou zitten, heb ik haar niet aangenomen als hulp. Wel als vriendin, als ik dat zo mag zeggen. Ze kwam vaker langs. We keken films samen, deden leuke dingen. Op een gegeven moment zei ze dat mijn huid een schilderij leek. Zoiets vergeet ik nooit meer. Uiteindelijk is het een relatie geworden. Vier jaar waren we samen. Voor haar probeerde ik niet ziek te zijn. Ik wilde iets te bieden hebben. In zo'n relatie kom je dan ook op het vraagstuk rond seks. De angst dat ik, zoals veel EB-patiënten, geen seks kon hebben, was groot. Soms is het fysiek niet mogelijk. Op de meeste plekken van een EB-lichaam is aanraking pijnlijk, ellendig om met iemand te rollebollen. De eerste keer was daarom doodeng. Kan ik dit wel? Lig ik straks niet helemaal open? Maar het viel mee. Ik hoor bij de gelukkige EB'ers die het wel kunnen. Best goed zelfs. Natuurlijk werk ik met dit lichaam niet de hele

Kamasutra af, maar voor mijn zelfvertrouwen deed het wonderen dat ik seks kon hebben met mijn vriendin. Ik ben dus ook gewoon een man. Seksualiteit blijkt een aspect van mijn leven waarbij ik niet zoveel verschil van anderen, waarbij mijn lichaam wel gewoon meedoet.

We hebben het over kinderen gehad. Zij was geen drager, dus onze kinderen zouden ook alleen drager zijn, en de ziekte zelf niet hebben. Dat wilde ik zeker weten. Ik heb tegen haar ook gezegd dat ik mijn eigen kinderen deze ziekte niet aan zou willen doen. Ja, natuurlijk heb ik zelf ook heel veel plezier in het leven, maar ik wil een kind niet bewust een lijdensweg op sturen. Dat doe je een ander mens niet aan. Kinderen wil je beschermen, niet blootstellen aan zoveel pijn en zorgen. Bovendien heeft mijn partner het ook zonder zieke kinderen al zwaar genoeg. In een normale relatie hoop je dat er zich weinig ziekte of andere tegenslag voordoet. Bij mij is dat soort zaken gegarandeerd. Toch was mijn ziekte niet de reden dat wij uit elkaar gingen. Ze is overal bij geweest. De operaties, de verzorging. De momenten van vreugde, die er gelukkig ook altijd weer waren. Nee, we waren jong en hadden verschillende levens voor ons liggen. Ik vind het nog steeds jammer, maar het heeft mij ook hoop gegeven. Een vrouw, een relatie, een gezin. Ze horen bij mijn grootste ambities in dit leven.

Mensen schrikken soms als ze mij zien. Dat begrijp ik wel. Ik denk dat ik zelf ook twee keer zou kijken als ik voor het eerst iemand zag met EB. Toch ben ik in mijn jeugd niet veel gepest om mijn uiterlijk. Het werd vanzelfsprekend. In Kijkduin ging ik naar een kleuterschool. De helft van mijn lichaam was ingepakt, als een mummie. Toch reageerden kinderen vrij normaal. Misschien ook omdat ik uitbundig ben, snel contact leg. Eerlijk gezegd heb ik ook nooit zo stilgestaan bij wat anderen van mij vonden. Op mijn scholen zaten vaak meer kinderen met beperkingen. Maar ook toen ik uiteindelijk naar het reguliere onderwijs ging, op de middelbare school, viel het allemaal wel mee met de reacties. Ik heb toen meteen gezegd: Ik ben Bor, ik heb EB en er zullen momenten zijn dat ik niet in de klas zit omdat ik behandeld moet worden, en het kan gebeuren dat ik je vraag mij ergens mee te helpen. Als je wat te vragen hebt, of op te merken, dan kun je dat gewoon doen. Eigenlijk was dat voldoende. Het merendeel van mijn vrienden heb ik overgehouden aan die periode.

Ach, natuurlijk zijn er ook vervelende reacties. Als ik in mijn scootmobiel over straat rijd en ik hoor mensen achter me in verbazing reageren: Oeh, zag je dat? Wat was dat? Bah! Zo, hé! Wow! Dat is niet altijd makkelijk. Er zijn dagen dat ik er bijdehand mee omga, en ze vraag of ze mijn bril nodig hebben om het nog beter te kunnen zien. Maar meestal negeer ik het, of maak ik er een grapje over met de mensen om mij heen. Mijn vriendin kon er heel goed mee omgaan. Haar vrienden vroegen wel eens waarom ze iets met mij had. Hoe kun je nu met zo'n gast gaan? Ze reageerde heel gedecideerd. Dan ken je Bor niet. Hij heeft veel meer te bieden dan het uiterlijke plaatje. Ja, ze heeft me altijd met verve verdedigd. Ach, en weet je, als je mensen zelf positief tegemoet treedt, krijg je maar zelden nare reacties.

Ik heb mij mijn hele leven in anderen verplaatst. Als ik mij die reacties van anderen echt aan ga trekken, de oorzaak bij mijzelf ga zoeken, kalft mijn zelfbeeld zo snel af dat ik in een crisis terecht zou komen. Ik ben eraan gewend. Eigenlijk zit het mij alleen dwars op het gebied van de liefde. Je wilt dat mensen je zien zoals je echt bent, niet zoals je lichaam eruitziet. Op de leeftijd dat mijn vrienden vriendinnetjes kregen, vond ik dat heel moeilijk. Je merkt dat je op alle vlakken evenveel in huis hebt als anderen, even slim, even grappig, alleen dat fysiek, dat zit steeds ernstig in de weg. Soms voelt het alsof je daardoor geen kans krijgt jezelf te openbaren, het blokkeert de kennismaking en het contact. Daardoor raak ik zo nu en dan uit het veld geslagen, maar het motiveert mij ook de mensen te laten zien wie ik ben. Ik wil dat ze zeggen: Dat is Bor, hij ziet er wat anders uit, maar hij staat ergens voor en hij vindt bepaalde dingen belangrijk in het leven. Hij maakt er wat van.

Zo veert mijn leven op en neer. Er zijn momenten geweest dat het mij allemaal niets meer waard was. Rond mijn vijftiende kreeg ik huidkanker, een agressieve vorm, die zich vrij snel naar binnen probeerde te verplaatsen. EB gaat vaak gepaard met kanker, maar het is met zo'n ziek lichaam heel moeilijk te bestrijden. Je kunt niet bestraald worden en veel andere bestrijdingsmethoden zijn ook te zwaar voor een lichaam dat elke dag al zoveel kracht nodig heeft voor huidherstel. Je moet het dus kunnen wegsnijden, anders heb je een groot probleem. Toen de dokter mij dat op die leeftijd vertelde, heb ik momenten gehad dat ik dacht: als ze mijn ledematen gaan afsnijden hoeft het van mij niet meer. Ik heb dat gevoel nog steeds wel eens. Als ik mij vier maanden na een operatie alweer op de volgende operatie moet voorbereiden, denk ik: ik wil nog zoveel, maar ik kom er door al die operaties en complicaties niet aan toe. Heeft dit nog zin? Kan ik ooit de draad weer oppikken? Of blijf ik van operatie naar operatie gaan? Juist de ambities en dromen die ik heb, houden mij gaande, en als ik het gevoel heb dat ik daar niet meer aan toekom, ze niet meer kan verwezenlijken, kom ik in een crisis.

Twaalf keer heb ik moeten beslissen of ik wilde blijven leven. De artsen noemen het ondraaglijk lijden. Je raakt eraan gewend. Toch duurde het denkproces soms maanden. Maar vooralsnog is euthanasie geen optie. Vorig jaar was ik het dichtst bij de dood. Ik had al lang pijn aan de vingers van mijn linkerhand. De kanker had zich daar gevestigd. Eerder had ik mij al voorgenomen dat functieverlies, het niet langer kunnen gebruiken van mijn handen, geen optie was. Dan zou ik niet meer kunnen werken, en de dagelijkse dingen worden moeilijker. Op die momenten zoek ik mijn vrienden op. Veel praten, ouderwets zeiken. Je hart luchten. Ik wil zo graag werken, wil weer een vrouw ontmoeten, en nu dit... Ik schrijf het van mij af, schreeuw het van mij af. Uiteindelijk heb ik voor de operatie gekozen. Het was tenslotte mijn linkerhand en ik ben rechts. De vingers zijn weggehaald. Daar waren diverse operaties voor nodig. Ik heb ze gecremeerd. Ik vond dat dit deel van mijn lichaam een eervol afscheid verdiende. Toch is het gek, hoe dat gaat. Zodra ik de beslissing moest nemen, koos ik toch weer voor het leven, schoof ik mijn grenzen op. Niet functieverlies, maar het echt niet meer kunnen verwezenlijken van mijn dromen, is nu de grens. Die dromen, het vinden van een vrouw, mijn kinderwens, het runnen van mijn eigen bedrijf, dat zijn de dingen die mij gaande houden. Ze vormen de reden dat ik steeds weer voor het leven kies. Soms denk ik dat het ook komt doordat ik een gezonde portie grootheidswaan heb. Ik ben geen gelovig mens, maar zie het wel als een soort missie, een verantwoordelijkheid, om anderen te laten zien dat je met een ziekte als de mijne nog heel veel kunt realiseren. Als Bor het kan, kan ik het ook: dat moeten mensen denken. Die gedachte motiveert mij. En verder zijn er nog zoveel dingen die ik wil doen.

Dit lichaam hindert mij bij het realiseren van mijn dromen. Het is niet representatief voor wie ik ben. Tegelijkertijd ben ik eraan gewend geraakt. Dit is mijn leven. Met dit lichaam moet ik het zien te doen. De wetenschap dat dit leven snel afgelopen kan zijn, zorgt ervoor dat ik alles eruit wil halen. Ik zou het jammer vinden als dat niet lukt, maar ik heb geen angst om vroeg dood te gaan. Mensen zijn wel eens verbaasd dat ik rook. Je hebt toch al kanker, zeggen ze dan, waarom nog meer risico nemen? Maar ik zou het een mooie grap van het leven vinden als ik uiteindelijk aan longkanker zou sterven terwijl er zoveel andere factoren tot mijn dood zouden kunnen leiden. De dood is een vriend op afstand. We keken elkaar regelmatig in de ogen. Zijn komst zou een einde maken aan de pijn, de jeuk en de operaties, maar steeds als hij dichterbij komt, hoop ik toch weer dat de omarming nog even op zich laat wachten. Uiteindelijk wil ik terug kunnen kijken op mijn leven, om trots te concluderen: Ja, Bor, je hebt er alles uit gehaald. Je hebt geleefd!

SEBASTIAAN LABRIE (38)

Sebastiaan Labrie is presentator en acteur. Een lange, ogen-schijnlijk rustige man met een mooie donkere stem. Maar wie langer met hem praat, voelt dat onder al die kalmte ook veel onrust schuilgaat, zoals je dat soms voelt bij kunstenaars die in interviews losbreken zodra er naar een bepaald thema gevraagd wordt. Na ons gesprek geeft Sebastiaan aan dat hij met 'dit soort interviews' altijd het gevoel heeft in cirkels te praten, zichzelf te veel analyseert en daardoor allerlei theo-rieën presenteert over zijn karakter, waar hij later soms op terugkomt. Jullie moeten er maar iets van zien te maken, *take your pick*. Karakter, lichaam, seksualiteit, roes... het ligt bij mij allemaal erg dicht tegen elkaar aan.

Mijn leven bestaat uit tegenstellingen. Dat is altijd zo geweest. Als kind merkte ik dat ik goede genen had, een sterk sportlijf ontwikkelde. In sporten blonk ik daarom uit. Maar tegelijkertijd was mijn lengte las-tig. Sociaal gezien dan. Ik stak met kop en schouders boven de rest uit. En begrijp mij niet verkeerd, ik heb geen moeilijke jeugd gehad, zou zeker niet zeggen dat ik echt werd gepest, maar op het schoolplein wilde het wel eens gebeuren dat ik met een bepaald spelletje niet mee mocht doen omdat ik te lang was. Te lomp. Of in de tijd dat sportschoenen in de mode waren, was het mooier als je voeten klein waren. Dan stonden die schoenen beter. Mijn voeten waren groot. Dat vond ik niet stoer. Op het gymveld wilden ze mij dan juist weer allemaal in hun team hebben. Ik werd me daar-door overbewust van mijn lengte. Mijn lengte was on-handig. Het was alsof het altijd een rol speelde. Mijn eerste vriendinnetje, een meisje uit onze straat, was ook weer twee koppen kleiner dan ik. Ik wilde liever iets kleiner zijn. Gewoon, zoals alle andere jongens.

Later, zo rond mijn dertiende, merkte ik dat meer meisjes mij leuk begonnen te vinden. Jongens van mijn leeftijd begonnen mijn lengte te krijgen. Toen begon mijn lichaam, de lengte, de sportieve bouw, zich ook op sociaal vlak uit te betalen. Vriendinnetjes gaven aan dat ze het juist fijn vonden dat ik groot was, ze voelden zich veilig bij mij. Geborgen. Ik merkte dat ik binnen mijn vriendengroep snel de aandacht kreeg. Meisjes kozen mij vaak uit, werden verliefd. Eerder dan mijn vrienden had ik oogcontact of raakte ik in gesprek. Ik denk dat dit vooral kwam omdat ik opgroeide met twee zussen en gewend was met meisjes te praten.

Mijn zussen vertrouwden mij thuis hun eigen ervaringen toe. Ik leerde het luisteren van hen, wist wat ze wel en niet waardeerden in de jongens met wie ze omgingen. Tegen meisjes van mijn eigen leeftijd was ik daarom eerlijk en direct. Aandachtig. Ik was snel op mijn gemak bij meisjes. Ja, dankzij mijn zussen kende ik een goede start op het gebied van vrouwen en relaties.

Ik kom uit een warm gezin. Mijn vader was chirurg en mijn moeder gaf danslessen aan huis. Mijn opvoeding was sociaal en open. Al heerste bij ons thuis geen blootcultuur, zoals je veel zag in de jaren zeventig. Mijn ouders waren wel fysiek, gaven elkaar af en toe een zoentje waar wij bij waren, maar veel verder ging dat niet in het openbaar. Als kind wilde ik ook niet weten dat zij seks met elkaar hadden. Toch was met name mijn moeder wel veel bezig met lichaam en beweging. De mensen die les van haar kregen, douchten ook bij ons thuis. Ik zag op jonge leeftijd dus veel lichamen.

Ik ben daardoor zelf heel comfortabel met aanraking. Ook fysiek trouwens, rende tot mijn vijfentwintigste alle trappen op, liep nooit een keer rustig omhoog. Dat aanraken is belangrijk voor mij. Tijdens een gesprek leg ik vaak een hand op de arm van degene met wie ik praat. Zo leg ik contact, laat ik weten dat ik te vertrouwen ben en die ander zelf ook vertrouw. Ik zoen ook heel makkelijk. Zowel vrouwen als mannen. Dat heb ik dus toch wel uit mijn opvoeding meegekregen, al is dat fysieke aspect van mijn karakter wel heel iets anders dan seksualiteit. Hoe makkelijk het thuis ook was, over seksualiteit werd gewoon niet veel gesproken. Vooral omdat ik dat zelf niet graag wilde. Er rustte geen taboe op of zo. Als ik ooit kinderen heb, ga ik dat toch anders doen. Veel aspecten van mijn opvoeding waardeer ik zeer. Ik heb het goed gehad, maar misschien had ik toch vaker dat gesprek aan moeten gaan met mijn ouders. Nu praatte ik vooral met mijn zussen over seksualiteit. Het is goed voor een kind dat thuis te kunnen doen. Seks is voor mij een privéaangelegenheid. Je zult mij niet snel op een straathoek zien staan tongen met mijn vriendin. Thuis des te meer, want ik vind het vrouwenlichaam heerlijk. Fascinerend ook. Maar om anderen daarmee te confronteren... nee, daarvoor ben ik mij te bewust van mijn omgeving.

De warmte van ons gezin zorgde er ook voor dat ik het conflict mijn hele leven uit de weg ben gegaan. Wij werden rationeel opgevoed. Als ik ruzie had op school, vroegen mijn ouders of ik mij realiseerde waarom dat klasgenootje stom tegen mij deed. Ik leerde mijzelf daardoor vroeg verplaatsen in anderen. Mijn empatisch vermogen ontwikkelde zich goed. Daar heb ik later als acteur veel aan gehad, maar op het gebied van conflict is het wel eens lastig. Thuis leerde ik elk conflict te beredeneren. Als ik het begreep, was het daarmee opgelost. Maar zo werkt het natuurlijk niet. Een mens heeft het nodig zo nu en dan zijn gevoel de boventoon te laten voeren. Even lekker stoom afblazen, tieren en vloeken. Wij deden dat niet. Tenminste, de meesten van ons. Een van mijn zussen deed het wel zo nu en dan. Maar juist omdat die andere zus en mijn ouders het nooit deden, ontwikkelde ik mijzelf als de charmante toevoeging, een soort humane vredespijp. Ik had altijd de drang de lieve vrede te bewaren. Dat is een deel van mijn karakter geworden. Ik heb het er wel eens moeilijk mee, maar tegelijkertijd zie ik het als kracht. Ik ben een mensenmens. Ik hou van excentriekelingen. Van euforie, maar ook van pijn en verdriet. Mijn empatisch vermogen helpt mij contact te leggen met mensen uit alle hoeken van de samenleving, uit allerlei sociale lagen en verschillende culturen. Ik leg makkelijk contact, mensen zijn daardoor snel bij mij op hun gemak.

Toch zit er ook een negatieve kant aan dat *pleasende* karakter. Als ik boos ben, implodeer ik. Nog steeds vind ik het moeilijk echt irrationeel te zijn. Ik realiseer mij dat het goed is echt boos te worden, een kanaal open te gooien, en het lukt mij wel steeds beter, maar ik heb toch nog wel een lange weg te gaan. Dat merk ik vooral als ik op sociale gelegenheden ben. Feesten en premières. In mijn vak leer je heel veel mensen kennen. Van gezicht dan, want echt kennen doe ik er maar weinig. Die kom je dan steeds weer tegen op van die evenementen. Daar zitten van die arrogante types tussen die de ene keer heel joviaal naar je toe komen rennen terwijl ze als ze mensen zien waar ze iets aan denken te kunnen hebben, je links laten liggen. Ik vind dat een waardeloze eigenschap. Maar als ik ze dan tegenkom, is het mij de sfeerverandering of moeite toch niet waard. Dat is dus de schaduwzijde van dat pleasende karakter. Ik groet die mensen dan een volgende keer weer alsof er niets aan de hand is, simpelweg omdat het mij de moeite niet waard is er een punt van te maken. Heel af en toe gebeurt het dat iemand het te bont maakt en dan ben ik er ook klaar mee, groet ik gewoon niet meer. Maar ik merk nu dat zodra ik het vertel, ik eigenlijk alweer denk: ach ja, zo belangrijk is het nu ook weer niet. Het zijn van die dingen die je eigenlijk anders zou willen doen, maar ook weer niet zo graag dat je er echt werk van maakt. Op die momenten zit het niet echt in de weg. Het is meer dat zulk gedrag niet strookt met mijn eigen waarden en normen. Het is een ontevredenheid waar een ander geen last van heeft. Echt lastig werd het pas toen ik nog veel audities deed, als acteur. Als iemand anders dan een rol heel graag wilde hebben, was ik geneigd te denken: neem jij hem maar. Mij maakt het niet zoveel uit. Dat is onhandig. Ik heb op dat soort vlakken moeten leren voor mezelf op te komen, het niet altijd voor anderen makkelijker te maken ten koste van mijzelf.

Ik wil voorkomen dat het nu lijkt alsof ik mezelf altijd wegcijfer. Dat is namelijk niet zo. Als het eropaan komt kan ik juist heel duidelijk zijn. Heel direct. Het pleasen doe ik vooral als ik merk dat mensen mij niet leuk vinden. En dan nog is het geen wegcijferen. Je kunt het beter compensatie noemen. In mijn jeugd heb ik het altijd goed gehad, de dingen gingen mij makkelijk af. Ik heb over aandacht nooit te klagen gehad. Daardoor raakte ik eraan gewend dat mensen mij zagen staan, mij interessant vonden of leuk. Wanneer je dan merkt dat het een keertje niet zo is, lijkt er iets niet te kloppen. Dat wil ik dan rechtzetten. Bijna alsof ik moet bewijzen dat ik wel leuk ben. Ik kan er dan simpelweg niet tegen dat iemand mij niet leuk vindt. Een soort kinderlijke drang om aardig gevonden te worden. Als ik mijzelf dat hoor zeggen, vind ik het een beetje suf klinken, maar het is nu eenmaal zo. Helaas.

Man, ik ben weer aan het analyseren. Daar wil ik juist vanaf. Nu ben ik toch weer van alles aan het verklaren, voer ik situaties uit mijn jeugd aan om mijn gedrag als volwassene uit te leggen. Het liefst leef ik gewoon zonder er te veel over na te denken waarom ik ben zoals ik ben. Mijn hele leven heb ik dat drukke hoofd. Uiteindelijk doe ik toch gewoon wat ik doe. Al dat denken, dat reflecteren, voelt overbodig. Het zijn omwegen. Ik kan er heel lang over nadenken, maar mijn daad stel ik toch gewoon op gevoel. Dat analyseren werkt remmend. Het losmaken daarvan veroorzaakt al die tegenstellingen, denk ik. Aan de ene kant ben ik mij bewust van wat anderen over mij denken, trek ik mij daar soms te veel van aan, en aan de andere kant ben ik juist eigengereid, neem ik beslissingen die mensen verbazen.

Zelfs op het gebied van seks komen die tegenstellingen terug. Ik kreeg altijd veel aandacht, maar ging pas op mijn achttiende voor het eerst met een meisje naar bed. Ik wilde graag dat het bijzonder was. Waarschijnlijk zette ik in die situatie ook te veel druk op mezelf, wilde ik de *perfect lover* zijn. Maar het kan ook komen doordat ik van mijn zussen hoorde dat meisjes de mysterieuze jongen interessanter vonden dan zo'n gozer die met heel veel meisjes naar bed was geweest.

Die eerste keer verliep onhandig. Mijn been zat in het gips. Kruisbanden gescheurd. Over tegenstellingen gesproken. Stel ik die seks uit tot een moment dat het echt bijzonder is, dan is het nagenoeg onmogelijk er iets romantisch van te maken. Nou ja, misschien maakt dat het ook wel extra bijzonder.

Even geleden heb ik te horen gekregen dat ik ADHD heb. Dat was een belangrijk moment. Het verklaart veel voor mij. Ik heb die onrustige kant lang onderdrukt. Eerst door te blowen. Later ook door drank en andere drugs. Of zelfs door argumentatie. Als ik dan een nieuw idee had, zette ik meteen mijn eigen beren op de weg, bedacht ik allemaal redenen waarom ik mijn plan beter niet kon uitvoeren, een bepaald programma maar niet moest maken. Argumentatie, die ratio die zo sterk in mij vertegenwoordigd is, kan heel beperkend werken. Alsof het medicatie is. Daar heb ik meer last van, of van gehad, dan van de drugs die ik gebruikte. Dat deed ik vooral toen ik een tijdje in New York woonde. Ik ging er heen voor mijn werk, als acteur, maar werd al snel meegesleurd in het nachtleven dat veel acteurs daar leven. Ik was fantastisch in de kleine uurtjes, wist ook precies hoeveel drugs ik moest nemen om wel lekker mee te gaan maar niet van de kaart te raken. De spanning van die balans vond ik heerlijk. Ik hou van het moment waarop het leven net een beetje getild staat. Over drank zeggen ze wel eens dat die de waarheid spreekt, in vino veritas, maar van drugs kun je zeggen dat de ziel spreekt. Ik heb genoten van die ochtenden dat ik bij het ochtendgloren met een groep mensen besloot de rivier op te zoeken om naar de vogels te kijken. Afterparty's in New York met dragqueens, lesbo's en homo's. Bijzondere ontmoetingen. Regelmatig gebeurde, of gebeurt het dat er op dat soort avonden ook mannen achter mij aan zitten. Ik vind dat niet erg. Het gaat mij om de ontmoeting met mensen. Ik zoen dan net zo makkelijk een vrouw als een man. Maar verder gaat het niet. Het is niet meer dan een grappige uiting van blijdschap en verbondenheid in het moment.

Toch merkte ik in New York ook dat mijn behoefte aan de roes destructief is. Ik denk wel eens dat mijn fascinatie voor het morbide, voor de goot, een gevolg is van mijn warme jeugd. Alles was goed. Harmonieus. Ik voetbalde bij de kakkersclub van Haarlem, mijn vader was chirurg... ik wilde die andere kant van het leven leren kennen. Daarom ben ik ook ooit begonnen met mijn tatoeages. Al zijn daar natuurlijk altijd meer redenen voor. Ze horen bij een andere subcultuur, maar toch ook echt bij mij. Ik heb ze ook niet voor anderen gezet. De mensen kunnen niet eens zien wat het precies is, al die inkt. Oorlogskleuren zijn het. Ze staan voor wat ik hier en nu, in dit universum doe. Waar ik voor sta. De wijze waarop ik leef. Het heeft dus ook iets spiritueels. Ze komen rechtstreeks voort uit mijn behoefte het leven in de volle breedte te leven. Mijn lichaam wordt door die behoefte getekend. Letterlijk en figuurlijk. Ik begin wel steeds meer te merken dat ik er lange tijd op los geleefd heb. Mijn conditie kan beter. Ik geloof dat het lichaam een ziel herbergt. Ons lijf gebruiken we om een indruk achter te laten. Het is de fysieke vorm waarin we zijn verschenen. Daarom verdient het respect.

Ik ben een laatbloeier, maakte een fantastische joyride door het leven. Maar begin nu pas mijn handen aan het stuur te krijgen, het gevoel te hebben dat ik weet waar ik naartoe wil. Ik heb een fijne vriendin, een goede relatie. Dat is mijn basis. Ik geniet van mijn werk als presentator. Meer nog dan van acteren. Juist dat plekje op de rand van de spotlights, waar ik vanuit een soort *over the shoulder*-hoek kijkers iets mee kan geven. Dat vind ik mooi. Ik wil dat de dingen die ik doe ergens aan bijdragen, iets positiefs teweegbrengen. Met al mijn tegenstrijdigheden is dat een ding dat ik zeker

weet. En trouwens, die tegenstellingen horen ook gewoon bij mij. Misschien zijn ze zelfs mijn motor. Ik wil
ze omarmen, niet wegdrukken of verdoven. Mensen
zeggen wel eens dat in ieder persoon een dier zit. Als
dat zo is, zit er voor mij maar één ding op. Ophouden
met temmen. En op de juiste momenten loslaten en
inzetten.

Zo. Genoeg gepraat.

FRED HEKKET (58)

Fred Hekket is 58 jaar, hij loopt de trappen op naar de derde etage van het negentiende-eeuwse huis waar we hebben afgesproken; steil zijn die, niet berekend op de hedendaagse volksziekte die we deftig obesitas zijn gaan noemen. Het Nederlandse woord is duidelijker en zegt het zonder omhaal: zwaarlijvigheid. Des te opvallender is het dat Fred Hekket niet puffend en hijgend boven aankomt, terwijl hij toch een flinke hoeveelheid kilo's met zich mee moet torsen. Daar moet jarenlange training aan vooraf zijn gegaan, zoals iemand die zo'n grote, zware suv rijdt na een tijdje de routine te pakken heeft en weet hoe hij met het gevaarte kan manoeuvreren.

Even zitten, glaasje water, het is warm buiten, zomers warm; hij veegt met zijn zakdoek zijn voorhoofd af en het interview kan beginnen.

Tot mijn vijftiende kan ik me geen enkele bewuste gedachte aan mijn lichaam herinneren. Het was er, het deed het naar behoren, niets om je druk over te maken. Ik was meer zo'n jongen die vooral in zijn hoofd leefde. Kon goed leren, ging na de lagere school naar het gymnasium en voelde me daar op mijn gemak. Ik denk, terugkijkend, dat ik er een heel gemiddeld jongenslichaam op na hield, niet te groot, te dik of te klein voor mijn leeftijd. Niet opvallend. Ik was niet wat je noemt het sportieve type, kan me niet heugen dat ik in die tijd bezig ben geweest met push-ups of andere oefeningen of hulpmiddelen om mezelf in een andere vorm te gieten. Het waren de jaren zestig, het mannenlichaam hoefde nog niet gemodelleerd te worden, zoals nu.

Creatief, dat is het woord. Op school was ik populair, want ik speelde piano, boogiewoogie, het hele Beatles-repertoire, ik deed veel aan cabaret, speelde toneel, en dat deed het natuurlijk goed op schoolfeesten. Daar ontleende ik een zeker gevoel voor eigenwaarde aan. Ik ben altijd wel een handige pianist geweest. Ik kan goed improviseren, voor de vuist weg spelen. In die zin was ik niet een klassieke 'hoofdjongen', om het zo uit te drukken: muziek heeft alles te maken met gevoel, met het hart. In de muziek, het spelen, het componeren, kon ik mezelf uiten.

Er was dus niets aan de hand, tot dat lichaam zich op mijn vijftiende plotseling tegen me keerde. Ik kwam uit school met buikpijn: uitzonderlijke, hevige pijnscheuten: kolieken. 's Avonds, toen het alleen maar erger werd, moest de ambulance geroepen worden. Ziekenhuis, acuut geopereerd. Het was behoorlijk ernstig, mijn dunne darm was afgesloten – later heb ik begrepen dat zoiets dodelijk kan zijn.

Vanaf dat moment ben ik mijn lichaam gaan wantrouwen, ik had het leren kennen als een vijand die zich volstrekt onaangekondigd tegen je kon keren – ik moest ervoor op m'n hoede zijn. Voor hetzelfde lichaam dat er voor die operatie altijd zo braaf en vanzelfsprekend was.

De schrik over die plotselinge pijnaanval is lang blijven hangen. Altijd het idee gehouden dat het elk moment weer kon gebeuren. Ik was mijn onschuld, mijn nonchalance kwijt, werd extreem voorzichtig. Het ging zover dat ik, waar ik ook was, eerst informeerde waar zich het dichtstbijzijnde ziekenhuis bevond.

Later, toen ik in Utrecht ging studeren, nam die angst af. Ik zag mijn lichaam als een noodzakelijk kwaad, en had ook het idee dat ik getekend was, letterlijk: na die operatie bleef er een prominent litteken achter, van tien centimeter boven tot tien centimeter onder mijn navel.

Maar als student – ik kwam na een jaar terecht bij het corps – kon ik me helemaal storten op toneel, muziek, het schrijven van teksten. Op het toneel ben je een ander, speel je een ander. Ik vond dat heel aantrekkelijk, de mogelijkheid om uit je eigen leven te ontsnappen en zo, voor de duur van het stuk, het programma, een andere identiteit te kunnen aannemen.

En ik kon mensen amuseren: achter de piano, eigen songteksten, cabaret – merkte al snel dat vrouwen daarvoor vielen. Ik was de leuke, onderhoudende jongen, de man bij wie je je nooit hoefde te vervelen.

Op een gegeven moment regisseerde ik een theaterstuk en mocht ik de liefdevolle aandacht ontvangen van zowat alle actrices die erin meespeelden. Dat streelde de ijdelheid, zeker, maar het lichaam speelde daarbij geen rol.

Nooit een macho geweest. Zei altijd maar: ben een man van de kwaliteit, niet van de kwantiteit. Terwijl ik in die tijd, van mijn tweeëntwintigste tot mijn zesentwintigste, nog zo strak was als een plank. Er was sprake van een vroeg optredende kaalheid, dat wel. Nu weet ik dat dat een teken is van een overvloedige testosteronproductie, maar toen was het toch meer iets voor vroegoude mannen. Ik had er weinig last van, hoefde er niet tegenaan te kijken.

Seks? Het idee was in die vrijgevochten tijd dat je zo'n beetje begon te neuken als je het ouderlijk huis verliet en op jezelf ging wonen. Ik was geen ladykiller, viel op een beetje moederlijke vrouwen, vrouwen die konden luisteren, met wie je kon praten.

Dat litteken werd gek genoeg een dierbare plek – als een vrouwenhand daar zachtjes overheen aaide, schaamde ik me niet, maar voelde me gestreeld.

Een beschaafd aantal studentenvriendinnen gehad – ik denk dat je het zo het beste kunt uitdrukken. Geen lichaamsman, dus ook geen uitgesproken seksman.

In 1975 stopte ik met mijn academische opleidingen, musicologie en psychologie – ik werd letterlijk misselijk zodra ik de studieboeken onder ogen kreeg. Ik wilde meer hart, meer muziek, meer muze. Uiteindelijk werd mij door de Kleinkunstacademie afgeraden naar de Kleinkunstacademie te gaan, omdat ik al 'te ver heen' was, niet meer kneedbaar genoeg. Wel nog een musical geschreven voor studenten, als pianist meegewerkt aan het feministisch vrouwencabaret van Natascha Emanuels, en zo'n beetje freewheelend mijn kostje verdiend. Het was een vrijbuiterstijd – ik had mijn definitieve stek nog niet gevonden, maar dat was eigenlijk alleen maar goed. Veelbelovend. Alles was nog mogelijk. Rond die tijd heb ik ook mijn huidige vrouw leren kennen.

Samen met Edwin Rutten van *De Film van Ome Willem* – ik speelde vijf jaar lang de rol van 'Neef van Ome Willem' – trok ik het land door, hij als de grote kindervriend, ik achter de piano, samen dingen spelen, bedenken, teksten schrijven. Rutten was degene die me op de reclamewereld wees. 'Is dat niks voor jou? Je kunt zo goed schrijven.'

In de jaren tachtig werd dat mijn stiel, en het liep meteen, ik verdiende goed geld, won de prijs voor de beste copywriter van het jaar. Liep dat even gesmeerd, nieuw leven, nieuwe carrière en meteen lof.

Wat ik heb geproduceerd aan onsterfelijke oneliners? Nou, 'De krant van wakker Nederland', die is van mij, gaat al zo'n twintig jaar mee. En 'De lekkerste kaas tussen de gaten', dat gaat over Leerdammerkaas, zoals je zult begrijpen.

Was getrouwd, we kregen een eerste kind, twee jaar

later een tweeling, we konden comfortabel leven, en ik werkte en werkte. Ik wist uit mijn studietijd, met al dat bier, het bourgondische drinken, dat ik aanleg had voor Buik. Nu, die begon zich dan ook voorzichtig te ontwikkelen.

Het geluk had compleet moeten zijn, vrouw, drie kinderen, goede baan, mooie woning, steeds hogere functies, lid van de directie. Steeds meer vergaderingen, steeds minder werkelijk creatief werk. In plaats van het toneel van vroeger speelde ik nu in een band, dat was een goede uitlaatklep.

Ik kreeg dan wel vorstelijke salarissen uitbetaald, maar geld is voor mij nooit echt belangrijk geweest, het heeft me nooit de ultieme bevrediging geschonken die anderen er wel aan kunnen ontlenen.

Mijn hoofd zei: dit is een fantastisch leven, maar mijn hart was het daar maar gedeeltelijk mee eens. In feite pendelde ik op en neer tussen twee overbelaste plekken: thuis de drukte van het gezin met kleine kinderen, op het werk de druk van deadlines en veeleisende klanten. Werd depressief. Voelde dat er, ondanks die succesvolle buitenkant, toch iets ontbrak.

Ben een tijd uit de running geweest, heb hulp gezocht bij een psychiater: ik ging ernaartoe met een baksteen in mijn maag, maar kwam er als een vlinder weer vandaan. Ik hou van praten. Geen antidepressiva. Alleen al die gesprekken hielpen me over de ergste angsten heen, de paniekaanvallen die je geest en lichaam ineens in de houdgreep kunnen nemen.

In 1995, tijdens een wandeling met vrienden in de buurt van Leiden, stond ik ineens kokhalzend tegen een boom. Paniek. Naar de poli. Eerst werd er gedacht aan een hartinfarct, was het niet. Bleek uiteindelijk mijn gal te zijn – moest er acuut uit.

Het was een déjà vu, een herhaling van het dunnedarmtrauma, ik werd dwars doormidden gesneden, zo'n jaap die schuin rechts over de gehele buik loopt. Ik bleef er ijzig kalm onder. Moest herstellen, oefeningen doen, maar dat vond ik het allemaal niet waard. Mezelf niet, maar vooral: mijn lichaam niet. Gedoe vond ik het. Die galoperatie – die is het begin geweest van mijn huidige pens.

Leven met een buik – zo noemde ik het. Bedoelde daarmee het leven met een risicogebied tussen middenrif en schaamhaar, waar onverwacht iets mis kon gaan. En is gegaan. Daar kwam nu het leven met een pens bij. Lastig bij het kopen van kleren, opeens sta je in een speciaalzaak als High & Mighty.

Je hebt moeite je schoenveters te strikken. Mijn vrouw zei na een tijdje: 'Fred, je moet er iets aan doen, dit loopt uit de hand.' Niet veel later zei ze helemaal niks meer, keek ze liever een andere kant op.

Seks? Seks speelt in mijn leven allang geen hoofdrol meer.

Wat ik merk is dit: mensen zien niet mij, bij een eerste kennismaking. Ze zien een dikke kerel. Maar in mijn gedachten ben ik niet dik, ik schrik als ik onverhoeds een blik werp in een etalageruit, of wanneer plotseling mijn naakte lichaam opduikt in een hotel-badkamer, waar overal van die spiegels hangen.

Holy shit. Dat ben ik niet, dat kan ik niet zijn.

Ik heb me niet bij die pens neergelegd en toch doe ik te weinig om ervan af te komen. Hanneke Groenteman is het gelukt. Paul de Leeuw deed in zijn programma verwoede pogingen en heeft er, geloof ik, vijftien kilo af gekregen.

Ik weet dat het kan. Mijn aanleg om dik te worden wordt gecompenseerd door een even groot talent om af te kunnen vallen. En ik weet wat er voor staat: veel bewegen, roeien, fietsen, al die apparaten die in slagorde staan opgesteld in de sportschool. Ik zie mezelf er zweten tussen al die graatmagere nichten en die bodybuildertypes. Ik heb het gedaan, ik weet verstandelijk ook dat ik me beter voel, na afloop, dat de beloning ook echt volgt. Maar ik hou het niet vol. Ben na vijf keer al intens tevreden.

Uiteindelijk lukt het me niet om zoveel tijd en energie te stoppen in dit lichaam, dat ik, zoals in mijn jeugd, het liefst zou hebben genegeerd.

Goed, ik ben erachter gekomen dat ik nog zoveel kan willen, maar dat het lichaam mij niet negeert.

Ja, waar ligt de grens? Ik ben geneigd tot het allerlaatst te wachten, de dingen voor me uit te schuiven, de deadline op te zoeken. Daar spreekt de oude copywriter.

Soms vraag ik me wel eens af: ben ik niet op een sluipende, ogenschijnlijk gezellige manier bezig met een vorm van euthanasie? Hoe dan ook, het lichaam, dit lichaam, het lichaam dat het mijne moet zijn: het is nooit mijn vriend geworden. En ook voor het restje toekomst ben ik niet optimistisch.

MEES VAN DIJK (42)

Mees van Dijk was in een leven meisje, lesbo, man, hetero en vader. Al zal hij zelf niet snel zeggen dat hij ooit een meisje was. Hij zat als jongen in een meisjeslichaam. Dat is toch wat anders, blijkt ook uit zijn verhaal. Inmiddels zou je Mees kunnen zien als ambassadeur voor de transman. Hij is bestuurslid van Stichting Transman en nauw betrokken bij de webportal Transman.nl. In ons boek mocht hij niet ontbreken. Veel mannen vroegen wij naar een omschrijving van mannelijkheid. Wat maakt een man een man? Mees heeft vergelijkingsmateriaal. Zelfs als hij, zoals de meeste mannen, geen sluitende definitie heeft, zou het beeld toch op z'n minst helderder moeten worden.

Ik ben geboren in het verkeerde lichaam. Een meisjeslichaam. Omdat ik mij een jongen voelde, stond ik bij de jongensdingen altijd vooraan. Ik klom in bomen, deed met de jongens mee bij meisjespakkertje, of andere spelletjes op het plein. Niemand stelde daar vragen over. Ik hoorde bij de jongens. Er waren zelfs meisjes die verliefd op mij werden.

Achteraf denk ik al op mijn derde het eerste conflict te hebben ervaren tussen lichaam en identiteit. Ik had vreselijke hoofdpijnen. De artsen hadden er geen verklaring voor. Later las ik dat het derde levensjaar de periode is dat je je bewust wordt van het verschil tussen jongens en meisjes. Maar het eerste echte conflict kwam op mijn elfde. Ik kreeg borsten, voelde mij door mijn lichaam verraden. Zo ontzettend verraden. Dit klopt niet, dacht ik. Waarom gebeurt dit met mij? Vanaf dat moment ontwikkelden mijn hoofd en lichaam zich in tegengestelde richtingen. Verwarrend als je juist jezelf, je lijf en het leven moet ontdekken.

Ik heb mijn lichaam vanaf die periode uitgeschakeld. Het voelde vreemd, klopte niet. Vooral het bewustzijn van genitaliën. Ik kon daar helemaal niets mee, heb het heel intern beleefd. Nooit met mijn ouders over gehad. Eigenlijk negeerde ik mijn lijf gewoon, en ook alles wat met dat lijf te maken had. Ik hield er niet van door anderen aangeraakt te worden, ging seksuele contacten in de puberteit al uit de weg. Terwijl ik wel verliefd werd. Altijd op meisjes. Ik heb wat dat betreft nog heel wat uit te leggen aan sommige vrouwen in mijn leven die mij in dat verkeerde lichaam leerden kennen en verliefd op me werden terwijl ze helemaal niet op vrouwen vielen. Als ze dit boek lezen, mijn verhaal horen, zullen ze begrijpen waarom dat toch gebeurde. Het klopte gewoon. Ik zat alleen nog gevangen in een vrouwenlichaam. Met één van die meisjes uit mijn jeugd heb ik later nog even een relatie gehad. We waren als puber verliefd op elkaar, maar voelden allebei dat het sociaal niet mocht. Als kind denk je ook dat het niet zo hoort, twee meisjes. Het kan helemaal niet. We hielden handen vast, gaven elkaar voorzichtig een kus. Verder ging dat niet. Maar even geleden nam ze contact met mij op. Al vijf jaar eerder had zij mijn gegevens van een kennis gekregen. Ze kende mijn verhaal en had gehoord dat ik terug was in de plaats waar ik ben opgegroeid. Nu begrijp ik het, zei ze toen wij elkaar na al die jaren weer zagen.

Op mijn zeventiende ben ik weggegaan uit mijn geboortestad. Ik voelde mij er gevangen. In Amsterdam dacht ik te kunnen zijn wie ik was. Maar je neemt jezelf natuurlijk mee. Ik woonde in kraakpanden, ging lesbische relaties aan. Ook seksueel. Al heb ik daar nooit echt van kunnen genieten. Ik vond het fijn om te vrijen met vrouwen, gaf heel veel. Maar ontving liever niet. De discrepantie tussen mijn hoofd en mijn lichaam was alleen maar groter geworden. Ik hield niet van mijn lichaam, dus wilde ook niet dat anderen het beminden. Voor een groot deel heb ik seks daardoor ervaren als iets wat er nu eenmaal bij hoort. Het miste de intensiteit die je wel hebt als twee mensen zich er volledig aan overgeven.

Nu ik terugkijk op het leven voordat ik bevrijd werd van dat vrouwenlichaam, zijn er een paar momenten geweest dat het gevoel dat ik een man was naar boven kwam. Je hoort mensen weleens praten over vergeten herinneringen. Ik geloofde nooit dat zoiets bestond. Maar inmiddels weet ik beter. Ik heb mijn transseksualiteit in een diepe krocht gesodemieterd. Wist het zelf niet meer. En op momenten dat het gevoel naar de oppervlakte dreef, werd het genegeerd. Mijn leven lang had ik een kinderwens, maar ik heb geen moment overwogen ooit te baren. De vrouw met wie ik in 2001 trouwde, wilde ook kinderen. Zij is van onze zoon bevallen. Bij haar noch bij mij is ooit twijfel geweest over wie het kind zou dragen. De vraag is zelfs niet bij ons opgekomen.

Toch heeft het tot eind 2001, tot mijn vierendertigste, geduurd voordat het kwartje viel. Ik las een artikel in de krant over een Canadese jongen die als helft van een tweeling geboren was. Allebei jongetjes. Maar tijdens de besnijdenis ging er iets drastisch mis, waardoor zijn penis bijna helemaal verbrandde, of in ieder geval beschadigd raakte. Toen hebben de artsen een meisje van hem gemaakt. Die Brenda speelde tijdens 'haar' jeugd al liever met de auto's van haar broertje en begon de poppen die 'ze' kreeg direct te ontleden. In de puberteit ging het helemaal mis. Ik werd getroffen door dat verhaal. Wij doen in Nederland niet aan besnijdenis, dus ik wist dat het dat niet kon zijn. Maar wat is dit ongelooflijk herkenbaar. Mijn vrouw vond mij met die krant in mijn handen, de tranen liepen over mijn wangen. We hebben er de hele nacht over gepraat en zodra het kon, de volgende ochtend, het VU-ziekenhuis gebeld. Alle puzzelstukjes vielen op hun plaats. Het was zo duidelijk.

Dan begint het hele proces. Dat duurt jaren. Het begint met een reeks gesprekken. Vooral met psychologen of psychiaters. Ik had er drie, met een psycholoog. Ze doen ook tests. In mijn geval was het verhaal klassiek. Er zijn ook mensen die erheen gaan omdat ze zich geen vrouw voelen. Maar ik voelde mij een man. Dat kwam ook duidelijk uit de tests naar voren.

Na gesprekken en de tests gaan de medici en psychologen, en andere wijze types, met elkaar in overleg over de vraag of de persoon in kwestie inderdaad transseksueel is. Als ze het daarover eens zijn, moet je nog een paar medische keuringen doorlopen, voordat je echt mag beginnen. Zodra je groen licht krijgt, begint de hormoonbehandeling. Een verschrikkelijke periode. Je wordt steeds meer jezelf, steeds meer man, maar hebt alle vrouwelijke symbolen nog. De borsten. De baarmoeder, de vagina. En dat terwijl je stem dus zakt en je baardgroei zich ontwikkelt. Ik ging opnieuw door de puberteit, maar nu als jongen. Dan krijg je dus als volwassene de baard in de keel, er begint haar te groeien op plaatsen waar je dat eerder niet had.

Die hormonen moet ik mijn hele leven blijven nemen. Aanvankelijk injecteerde ik ze, een keer in de twee weken. Je spuit een depot in je bil en dat lost in die twee weken langzaam op. Tegenwoordig heb ik een gel, die ik over mijn lichaam smeer. Soms heb ik vreemde angsten, dat er oorlog uitbreekt en de apotheken dichtgaan. Dan kan ik geen hormonen krijgen. Verschrikkelijk. Niet omdat ik dan vrouwelijker zou worden. Mijn lichaam blijft zoals het is, maar als ik nu mijn hormonen een keer vergeet, word ik al heel korzelig, snel geïrriteerd. Mensen om mij heen merken het ook. Moet je de hormonen niet eens nemen, vragen ze dan.

Pas als je een jaar lang hormonen hebt genomen, mag je aan de operaties beginnen. Er is een vaste volgorde. Te beginnen met het verwijderen van de borsten. Voor mij was dat de belangrijkste operatie. Uiterlijk zijn het toch vooral die borsten die duiden op vrouwelijkheid. Het zijn symbolen. Ik voelde mij van dat symbool bevrijd toen ik ze kwijt was. Toen ik na de operatie, op een zomerdag, met de hond aan het wandelen was, voelde ik de wind tegen mijn borstkas waaien. Mijn T-shirt werd door de zomerbries tegen mijn lijf geblazen. Er was geen buffer van vrouwelijkheid tussen mij en de natuur. Heerlijk was dat.

Als de borsten verwijderd zijn, volgt de operatie waarbij de baarmoeder en eierstokken worden weggehaald. Het zijn geen eenvoudige ingrepen. Pas daarna kun je kiezen. Sommige mannen laten het zoals het dan is. Die hebben dus nog wel een vagina, maar geen baarmoeder en eierstokken meer. Ik wilde dat niet. Ik ben een man. Dan kun je geen vagina hebben. De arts sputterde nog tegen, gaf aan dat je het bijna niet zou zien. Maar ik wilde daar niets van weten en ben naar België gegaan. Daar heb ik ook die laatste serie operaties laten doen. Het verwijderen van de vagina is heftig. De vaginawand loopt dicht langs je endeldarm, er zitten allemaal spieren en zenuwen. Het is geen kwestie van de boel even dichtnaaien.

Ik moest mijn lichaam opnieuw ontdekken. Daar

werd ik in eerste instantie knaldepressief van. Het is vergelijkbaar met een rouwproces. Toen alle medische ingrepen achter de rug waren, kon ik pas beginnen met de verwerking. Voor die tijd leef je van moment tot moment, van ingreep tot ingreep. Alsof je in een trein zit. Pas als hij stopt, besef je hoever je hebt gereden. Je staat op een heel ander punt van je leven. Op dat moment realiseerde ik mij ook voor het eerst echt wat ik allemaal gemist heb. Jongensdingen. Voetballen. Na gym in elkaars schoenen pissen. Flauwe grappen, kleine dingetjes die andere mannen wel hebben meegemaakt. Ik heb vorige week mijn naam in de sneeuw geplast. De meeste mannen doen dat als ze zeven zijn. Ik moest wachten tot mijn tweeënveertigste. Soms lijkt het alsof mijn hele leven in het teken staat van inhalen. Toch is dat niet zo. Mijn jeugd heb ik in de afgelopen jaren leren omarmen. Ik accepteer nu dat ook die tijd, toen ik in dat verkeerde lichaam zat, hoort bij mijn leven. Ik zal ook niet zeggen dat mijn leven pas op mijn vierendertigste begon, omdat ik toen mezelf werd. Nee, ik koester mijn jeugd, de jaren die voorafgingen aan de grote beslissing in mijn leven. Ze hebben me mede gevormd tot wie ik nu ben. Maar grappig genoeg is het wel zo dat ik voor de wet pas man werd na de verwijdering van mijn reproductieve organen. Pas als je die operatie hebt ondergaan, mag je jezelf als man laten registreren. Een paar jaar lang liep ik, terwijl ik er gewoon uitzag zoals nu, rond met een paspoort en een rijbewijs waarin mijn kindernamen stonden. Ik heb lang opgezien tegen de reacties van anderen, maar in die periode heb ik ervaren dat mensen afgaan op hun observatie, niet op de ratio. Een bezorger noteerde een keer mijn namen toen hij een pakketje afleverde. Van die typische katholieke meisjesnamen, vier stuks maar liefst. Hij vroeg mij lachend of mijn vader dronken was toen hij mij aangaf bij de burgerlijke stand. Gozer, lachte hij, was je vader bezopen of zo? Het komt niet in mensen op te denken dat je transseksueel bent. Ze nemen waar wat ze zien: een man. Ook al zegt het papier iets anders.

Zelf denk je er wel veel over na. Wat is mannelijkheid? Wat maakt mij nu die man? In dat vrouwenlichaam werd ik als bitchy type gezien, een katje dat je beter niet zonder handschoenen aan kon pakken. Nu, als man, wordt mijn directheid, de doortastendheid, als goede eigenschap gezien. Er wordt ook veel meer naar mij geluisterd in vergaderingen.

Het zijn mijn karaktereigenschappen die mij mannelijk maken. Toch ben ik daar aanvankelijk heel onzeker over geweest. Dan sloeg ik mijn benen over elkaar en dacht ik meteen: zit een man wel zo? Ik was onzeker over mijn houding, echt net als een kind in de puberteit. Nu ben ik daar heel zeker over. Ik doe dat. En ik ben een man, dus mannen doen dat blijkbaar.

Sinds vorig jaar zijn mijn vrouw en ik uit elkaar. Hoewel dat natuurlijk heel verdrietig was, ben ik haar ook dankbaar voor het feit dat ik mijn hele proces in de veiligheid van een relatie heb kunnen doormaken, en biedt het mij ook nieuwe kansen. Voor het eerst in mijn leven moet ik relaties en situaties aangaan als man. Als Mees. Afgelopen zomer leerde ik voor het eerst een vrouw kennen die niets van mij wist. Toen kwam ik voor de vraag te staan in welk stadium je de ander vertelt over je achtergrond. We hadden elkaar een paar keer gesproken en ontmoet. Op haar verjaardag klikte het goed, we werden verliefd. Ze reageerde goed op mijn ontboezeming, vond dat ik het juiste moment gekozen had. We kenden elkaar al redelijk goed, maar waren nog niet aan een relatie begonnen. Ik vind ook dat je niet moet wachten tot je met je blote billen op de rand van het bed zit. Je moet het aanvoelen, zoals altijd in relaties het geval is. Maar het blijft spannend en ik was opgelucht toen ze goed reageerde. Uiteindelijk zijn we weer uit elkaar gegaan. Zo gaat dat soms.

In mijn woonplaats weten de meeste mensen hoe het zit. Toen ik daar terugkwam, heb ik iedereen die ik kende, of die mijn ouders kenden, een brief geschreven. Daarin legde ik de situatie uit en beschreef ik wat mij nog te wachten stond. Ik was pas begonnen met de hormoonbehandeling en moest alle operaties nog ondergaan. Er werd bijzonder positief gereageerd. Oude tantes schreven lieve briefjes. Als je mensen positief en open benadert, krijg je maar zelden nare reacties. Men lijdt het meest onder het lijden dat men vreest. Ik heb mijn hele leven de reacties van anderen van tevoren bedacht, gaf mensen daardoor geen eerlijke kans. Mijn moeder neemt het zichzelf nog wel eens kwalijk dat ze niet eerder opmerkte dat ik een jongetje was. Ik neem haar dat niet kwalijk. Wie denkt er aan zoiets? En helemaal in die tijd, de jaren zeventig, tachtig. Het is fijn om niet met een geheim te hoeven leven. Het is ook niks om je voor te schamen. Ik heb pech gehad... en het is goed gekomen. Ik vertel het mensen als ik dat wil, en anders niet.

Ik ben nu 42. Ik heb inhammen, mijn haar is wat dunner dan voorheen.

En zo langzamerhand ontwikkelt zich een buikje. Het hoort allemaal bij een man van mijn leeftijd. Ik heb er geen moeite mee. Dit ben ik. Eindelijk word ik gezien als wie ik ben.

WERNER REIMAN (62)

Werner Reiman is technicus. Afspraken met werkgevers plant hij vroeg in de middag zodat hij op tijd kan gaan sporten. Elke week drie keer. Drie uur lang. Er mag niets tussenkomen. Even geleden zagen wij hem op de sportschool extra eiwitten drinken. Voor het spierherstel. Normaal gesproken vooral iets voor jonge ambitieuze krachtpatsers. Waarom doet een man van 62 dat? Je hoort vaak zeggen dat sporten de illusie wekt controle te hebben over het verouderingssproces. De sportende mens bepaalt zelf hoe hij eruitziet. Het lichaam van Werner Reiman lijkt op dat van een jonge man. Het vechten tegen ouderdom moet een van de redenen zijn om zo fanatiek te sporten. Maar het is niet de enige reden. Zonder aarzeling trok Reiman voor de foto zijn kleren uit. Naakt liep hij door het huis, serveerde hij thee. Een met zijn lichaam. Comfortabel, vol zelfvertrouwen.

Verrassend, want gekleed komt Werner Reiman juist verlegen over. Een beetje onzeker zelfs. De naaktheid van zijn lichaam lijkt hem daarvan te bevrijden. Dit ben ik echt, lijkt hij te zeggen.

Waarom ik? was mijn eerste reactie toen ik voor dit boek gevraagd werd. Wat is er bijzonder aan mij? Maar dat gevoel werd al snel verdrongen door nieuwsgierigheid. Misschien ben ik inderdaad bijzonder. Gisteren ben ik 62 geworden en dan toch nog zoveel sporten. Ik denk dat ik op de sportschool de oudste ben. Als ik om mij heen kijk tijdens het sporten, denk ik: verdorie, mensen die dertig, veertig jaar jonger zijn dan ik, dan doe ik het toch niet slecht. Als we bijvoorbeeld een buikspierkwartiertje doen, roept de instructeur bij de laatste oefening dat we gaan kijken wie het langer volhoudt dan ik. Dat maakt iets in mij los. Eigenlijk is er in dat klasje niemand die het langer volhoudt. Ook niet van de jonge mensen. Maar ik ben wel realistisch hoor. Ik ben nu een jaar of acht bezig met fitness en die jonge mensen komen vaak net kijken. Als zij een paar jaar serieus trainen, blijf ik natuurlijk nergens meer. Maar dat doen ze niet. Of laat ik het zo zeggen: ik ben nog niemand tegengekomen die regelmatiger traint dan ik.

Ik sport drie keer, drie uur lang; van half vier tot half zeven. Maandag, woensdag en vrijdag. Daarnaast heb ik een fulltimebaan, ben zzp'er en werk veel thuis. Ik begin 's morgens om half zeven, dus tegen twee, drie uur 's middags heb ik een hele werkdag achter de rug. Ik ben technicus. Als jongen zat ik dus altijd op technische scholen. Echte mannenbolwerken. Geen vrouw te bekennen tijdens mijn opleiding.

Ik had ook geen vriendin op die leeftijd. Er liepen bij mij in de buurt wel meisjes rond, maar ze zagen mij niet staan. Ik had geen seks. Meisjes reageerden niet op mij. Mijn vrienden gingen wel met meiden om. Dan ging ik ook mee, maar ik kreeg geen aandacht.

Sporten deed ik toen nog niet. Integendeel, ik had er een bloedhekel aan, weet nog steeds niet waarom, maar vond het vroeger helemaal niets. Ik keek er zelfs een beetje op neer. Kijk, ik was slim, had mijn techniek... ik had dat lichamelijke gedoe helemaal niet nodig. Ik zag wel eens iemand rennen in het park, daar moest ik dan om lachen. Ik was altijd met andere dingen bezig, lekker leren en knutselen met elektrotechniek. Dat beheerste ik. Daar blonk ik in uit. Ik was de eerste die een zeepkistkarretje bouwde met een stuur. Ik repareerde tv's voor mensen in de buurt.

Mijn vader was calculator. Mijn moeder was huisvrouw. Ik was altijd het buitenbeentje, als oudste. Als er iets gebeurde met mijn jongere broer of zus, had ik beter op moeten letten. Ik kreeg er meestal de schuld van. Mij gaven ze op mijn donder als er met de anderen iets misging.

Boven, op mijn zolderkamer, daar vond ik mijn ontsnapping. Daar lagen mijn boeken en mijn technische dingen. Daar vluchtte ik naartoe. Ik kon niet goed met mijn broer en zus opschieten. Dat blijkt nu wel, ik heb ze al vijftien jaar niet gezien. Eigenlijk kon ik alleen goed met mijn moeder overweg. Zij begreep mij. Ik ben in München geboren. Mijn moeder was Duitse. Vader ging naar Duitsland voor de Arbeitseinsatz, kwam mijn moeder tegen en uiteindelijk zijn ze in 1949 samen naar Nederland gekomen.

Ja, wat dacht je, mijn moeder was hier de moffenvrouw. Terwijl zij in Duitsland tegen Hitler ageerde. Ze heeft geleerd haar mond te houden, zodat niet iedereen kon horen dat ze Duitse was. Het Nederlands heeft zij daarom snel opgepikt.

Ik leek veel meer op mijn moeder dan op mijn vader. *Two of a kind.* Een genenkwestie. Als mijn vader weer op het punt stond een paar flinke tikken uit te delen, nam mijn moeder het voor mij op. Nee, hij dronk niet, maar kon bepaalde situaties niet goed aan. Moeilijke situaties, waar hij zich echt voor in moest zetten... dat lukte hem niet. Als ik problemen had op school. Dan ging hij wel met de leraar praten, maar daar kwam hij gewoon niet uit. Gebrek, ja toch... aan doorzettingsvermogen.

Ik merk dat ik dat ook wel in mij heb, dan neig ik ernaar de weg van de minste weerstand te kiezen. Maar omdat ik mij daarvan bewust ben denk ik ook meteen: Potdomme, niks ervan. Ik lijk m'n vader wel.

Ik kies juist voor een moordend schema om te sporten, om niet die weg van de minste weerstand te kiezen. De angst om over vijftien jaar niet meer te kunnen doen wat ik graag zou willen doen, vormt een grote motivatie om te blijven sporten. Ik wil de controle niet verliezen. Dat zie ik om mij heen gebeuren. Mensen van mijn leeftijd zakken in elkaar, of krijgen alzheimer, fysieke ongemakken, de hele reutemeteut. Dat zal mij niet overkomen, denk ik dan. Door te sporten vertraag ik het verouderingsproces. Ik heb controle over hoe ik eruitzie en in zekere mate over hoe ik mij voel. Controle over het leven. Ik denk dat ik nu een betere conditie heb, dan toen ik jong was.

Van nature ben ik klein. Toen ik zestien, zeventien jaar oud was, woog ik 78 kilo, met een enorme pens. Ik bleef maar eten. Ik had niet eens een fiets. Toen ik zestien was kocht ik, met steun van mijn grootouders, meteen een bromfiets.

Ik hield niet van bewegen. Maar toen kwam het moment dat ik in het bedrijf waar ik werkte, het damestoilet open zag staan, daar hadden ze een spiegel die over de volle lengte aan de muur hing. Toen zag ik mijzelf voor het eerst helemaal, ten voeten uit. Ik ben me dood geschrokken. Van dat lichaam, die dikke kop. Ik bekeek mezelf en profil. Keek. Keek opnieuw. Dit kon niet waar zijn. Maar dat was ik dus: een klein, dik propje.

Als ik naar school, of later naar mijn werk, ging, kreeg ik van mijn moeder tien boterhammen mee met roerei, en die had ik tegen elven al op. Dan ging ik over op de gevulde koeken, de Nutsen en Marsen. Dat ging zo de hele dag door.

Op een gegeven moment heb ik daar consensus mee gesloten. Zo ben ik gewoon, dacht ik toen. Maar uiteindelijk kwam er toch een keerpunt. In militaire dienst. De eerste zes weken van mijn opleiding heb ik mezelf helemaal gek gegeten, en toch ben ik wel afgevallen, door al die dagmarsen. Vijftien kilo was ik kwijt. Toen ik uit dienst kwam woog ik nog maar zestig kilo. Ik begon met een koppel dat ik amper omkreeg en tegen het einde kon ik mijn vuist ertussen duwen. Toen wist ik: dit is nu mijn nieuwe lichaam, ik ga er goed voor zorgen.

Pas een paar jaar na diensttijd, toen ik naar Duitsland vertrok voor mijn werk, had ik vriendinnetjes. Alsof ik eerst een tijdje aan mijn nieuwe lichaam had moeten wennen, en aan het zelfvertrouwen dat daarbij hoorde. Ik had een mooie auto in die tijd, een Austin Cambridge. Echt een *babe magnet*. Voor het eerst ging ik met meisjes naar bed. Ik maakte mij geen zorgen wat ze van mijn lichaam dachten. Ik was tanig, voelde mij goed en bewoog ook meer. Ik had algauw de indruk dat ik vrij goed geschapen was. Mijn moeder had dat ook wel eens gezegd, als ik bijvoorbeeld thuis de douche uit kwam stappen: 'Om de meisjes hoef jij je in ieder geval geen zorgen te maken.'
Ik heb mij dan ook nooit geschaamd voor mijn geslacht, nooit een klacht gehoord. Ik zie op de sportschool ook wel eens iemand lopen, van wie ik denk: die heeft twee keer 'ik' geroepen bij de verdeling. Maar dat anderen dat ook van mij zeggen, daar kan ik mij weinig bij voorstellen. Ik ben wat dat betreft vrij pragmatisch; dat ding doet wat het doen moet.

Mijn vrouw heb ik al op mijn zeventiende leren kennen. Eerst zag ze mij niet staan, ik haar misschien ook wel niet echt. Toen ik terugkwam uit Duitsland hebben we het toch eens geprobeerd. In 1973 zijn we getrouwd. En dat zijn we nog steeds. Seksualiteit speelt op onze leeftijd geen grote rol meer. Dat vind ik wel eens moeilijk. Voor mij is seks belangrijk, maar voor mijn vrouw is dat minder het geval. Op onze leeftijd leg je de nadruk op andere zaken. Dat dwingt je de vraag te stellen wat je bij elkaar houdt. Allereerst de liefde natuurlijk. Ik hou van mijn vrouw. We delen een leven samen. Maar er zijn ook wel dagen dat je nadenkt over wat er anders zou kunnen. Wat je mist misschien. De zorg voor mijn lichaam, het intensieve sporten, resulteert erin dat ik mij jong voel en sterk. Ook seksueel. Het is dan wel eens moeilijk met dat gevoel niet veel te kunnen doen. Soms denk ik dat ik daadwerkelijker jonger word van al dat sporten. Maar de maatschappij, mijn omgeving, verwacht van een man op mijn leeftijd een bepaald gedrag. Je zou het een code kunnen noemen, waaraan je je dient te houden. Als ik het zo vertel betrap ik mijzelf op de gedachte dat ik het daarom misschien zo fijn vind om samen met mijn vrouw te sporten. Alsof wij door de sport, door onze gezondheid, samen kunnen ontsnappen aan die verwachtingspatronen en ons kunnen gedragen naar ons gevoel, niet naar onze leeftijd. Maar zij heeft soms moeite met mijn dwangmatigheid. Waar doe je het toch allemaal voor? vraagt ze dan. Ik probeer haar op te peppen: kijk eens om je heen, kijk eens naar die dikke mensen van onze leeftijd, zo had het ook gekund.

Ik ben gewend geraakt aan het gevoel dat sporten mij geeft. Ben er afhankelijk van geworden. Je mag dat best een verslaving noemen. Tegenwoordig, als ik bij een opdrachtgever op kantoor ben, kondig ik aan dat ik om kwart over drie wegga. Dan moet ik sporten. Het is een schema waaraan ik mij wil houden. Moet houden. Vroeger bleef ik langer als er een vergadering uitliep, of er een andere reden was om het later te maken op mijn werk. Nu ga ik weg. Naar de sportschool. Daar moet alles voor wijken. Alles!

STEVE VAN HEYNINGEN (48)

Steve van Heyningen is het soort man tegen wie andere mannen opkijken. Zijn lichaam lijkt uit steen gehouwen. Fysiek is hij een imposante, bijna intimiderende verschijning. Maar als je met hem praat, valt de zachte stem op, de melancholische blik. Ze weerspiegelen een zacht karakter. Die tegenstelling fascineert. Massief en kwetsbaar tegelijk…

Lichaam en geest zijn onlosmakelijk met elkaar verbonden. Dat is natuurlijk prachtig als het je goed gaat en de spanning van je spieren als het ware voedsel vormen voor je brein, en omgekeerd. Maar op dit moment verkeer ik in behoorlijk beroerde omstandigheden, na een verbroken liefde en alle vervelende consequenties die daaruit volgen. Verhuizing. Gebrek aan concentratie. Flinke depressieve buien.

Nu merk ik letterlijk dat lichaam en geest extreem verbonden zijn, en in dit geval op z'n ongunstigst: mijn brein komt niet tot rust, blijft maar piekeren, en het lichaam kan zich niet meer opladen, het lichaam kan mijn innerlijk nauwelijks nog dragen.

Het kost me extreem veel moeite mijn weg terug te vinden, op dit moment. Zo'n ernstige dip heb ik nog niet eerder meegemaakt. Normaal gesproken was sport voor mij altijd het levenselixer. Als ik maar vier- of vijfmaal per week naar de sportschool ging en mijn oefeningen deed, verdwenen de nare gedachten en sprong ik over het zwarte gat heen. Nu lukt dat niet. Nu ben ik al blij als ik wekelijks twee keer naar de sportschool ga, en het voelt alsof ik mezelf ernaartoe moet slepen, als een baal vodden.

De eerste tien minuten, wanneer ik aan het trainen ben, werkt de adrenaline nog, maar na een tijdje is die rush voorbij en trekken alle zorgen in optocht mijn kop weer binnen, zoals rode wijn in een wit tafellaken kan trekken. Op de terugweg naar huis fiets ik de realiteit weer tegemoet en die ziet er nu heel somber uit. Mijn sportroutine is doorbroken, het automatisme werkt niet meer, en het is knokken om me op dit moment staande te houden. Ik grijp me echt vast aan de sport, aan datgene wat altijd voor mij gewerkt heeft. Maar ik voel dat ik op dit moment de grip verloren heb.

Mijn moeder, die ons alleen grootbracht, benadrukte dat samengaan van lichaam en geest al toen ik nog klein was. Ze moedigde mijn broer en mij aan om goed voor onszelf te zorgen. Voeding, ook geestelijk, noem het spiritualiteit, maar ook hamerde ze op het belang van beweging, vooral sport. We woonden op Aruba en trainden met zelfgemaakte gewichten. Mijn broer had de rol van vader overgenomen. Vader was er niet en is er in mijn herinnering ook nooit geweest. Ik geloof niet dat je iets of iemand kan missen als je niet weet wat je mist. Mijn moeder, mijn broer en ik. Dat was het. Dat was compleet, genoeg.

Zoals in bijna alles ging mijn broer mij ook voor in het trainen. We hingen blikken vol zand, of cement, aan een stok en gebruikten die als halter. Ik merkte al snel dat ik aanleg had, de juiste genen, en raakte verliefd op het werken aan mijn lichaam. Anderen zagen het ook. Ik mocht gaan trainen bij een echte sportschool en werd gevraagd voor wedstrijden *natural bodybuilding*. Mijn broer niet. Ik heb hem nooit gevraagd of hij dat moeilijk vond, eerlijk gezegd heb ik er nooit bij stilgestaan, maar als hij toen jaloers is geweest, heb ik daar niets van gemerkt.

Na verloop van tijd begon ik wedstrijden te winnen, maar ik heb er nooit echt van genoten. Natuurlijk was het fijn om te merken dat ik ergens in uitblonk, dat al dat harde werken zijn vruchten afwierp, maar ik had er moeite mee op dat podium te staan en bekeken te worden. Je staat daar vrij naakt, zowel letterlijk als figuurlijk. Een klein broekje en dan je spieren laten zien. Al die mensen die naar je kijken, naar jouw spieren, naar de manier waarop je ze aanspant.

Ik heb daar, ook later, altijd moeite mee gehad. Mijn lichaam is van mij. Het is een tempel. Dat klinkt religieus, en zo heb ik het ook van mijn moeder meegekregen. Ik geloof dat het een heilige plicht is het lichaam zo goed mogelijk te onderhouden. Ik werk er hard aan, zorg ervoor, maar wil niet dat anderen mij erom bewonderen. Dat lijkt misschien tegenstrijdig, maar ik zie het zorgen voor mijn lichaam als een verantwoordelijkheid. De tempel vergt onderhoud, maar dat onderhoud pleeg je niet voor jezelf of je lichaam alleen, dat doe je... voor iets anders, iets hogers. Iets wat je niet mag negeren.

Ik train vier à vijf dagen per week, twee tot tweeënhalf uur per keer. Dat is mijn tijd. Ik zonder mij het liefst af, vind het niet erg als mensen mij vragen stellen, maar het moet mijn training niet in de weg zitten. Tijdens het trainen draag ik shirts met lange mouwen. Een vriend van mij heeft wel eens gezegd: 'Jij bent die enorm gespierde man die altijd in schildershemd verschijnt, om andere, minder gespierde mannen nog jaloerser te maken.' Dat beeld kan ontstaan, maar ik geloof niet dat hij daarin gelijk heeft. Het is niet dat ik mijn lichaam niet wil laten zien, ik train gewoon lekkerder in die shirts. Ik snap ook dat andere mannen die aan het trainen zijn naar me kijken, ik neem het niemand kwalijk. In de loop der jaren heb ik ermee leren omgaan. Ik sta mensen nu rustig te woord als ze met mij komen praten of vragen hebben over het trainen en kan ook beter met complimenten omgaan. Toch heb ik er nog steeds moeite mee als mensen mij bewonderen. Ik begrijp dat je het niet van een ander kan vragen, maar ik heb liever niet dat ik op die manier bekeken word.

Het liefst zou ik gewoon opgaan in de massa, niet opvallen, maar die behoefte is ook weer niet zo sterk dat ik mijn lichaam dan maar negeer. Ik heb het trainen nodig. Als ik een paar dagen niet ga sporten, voel ik mij niet lekker. Het is zonder twijfel een verslaving, maar ik ben liever verslaafd aan deze sport dan aan andere dingen, zoals veel van de jongens uit mijn jeugd. Ik zou niet eens meer weten hoe het is om niet regelmatig te trainen. Zelfs als ik op vakantie ga boek ik uitsluitend hotels met sportmogelijkheden, en als dat niet kan, doe ik push-ups en sit-ups of andere oefeningen op mijn hotelkamer. Ik geloof niet dat ik ooit in mijn leven langer dan een week achter elkaar niet sportte. De enige keren dat ik een paar dagen achter elkaar mis, is als ik mij echt niet fijn voel. Geestelijk bedoel ik dan. Ik kan soms behoorlijk zwaarmoedig zijn en als ik in zo'n dip zit, wil het wel eens gebeuren dat ik mij er niet toe kan zetten naar de sportschool te gaan. Dat bedoelde ik ook toen ik zei dat lichaam en geest onlosmakelijk met elkaar verbonden zijn. Als het in mijn hoofd niet goed zit, merk ik dat direct aan mijn lichaam. Dan ben ik lusteloos en vliegen de kilo's eraf. Ik kom dan in een neerwaartse spiraal, dan voel ik me al niet blij en daarbij komt dan de klap van de teleurstelling dat ik niet ben gaan sporten. Het schuldgevoel ook, het idee dat ik waardeloos ben. Zelfs als ik me wel goed voel ben ik kritisch op en over mijn eigen lichaam, ik zie altijd wel iets wat niet goed genoeg is, een spier die verslapt, maar als ik zo gedeprimeerd ben, kan het mij echt te veel worden. Dan kijk ik in de spiegel en zie ik alleen maar onvolkomenheden: buikspieren die niet strak genoeg zijn, biceps die voller kunnen, schouders die droger moeten, benen die te smal... echt, alles.

Gek genoeg is trainen op zulke momenten ook weer mijn enige redding. Het duurt misschien een paar dagen, maar daarna kan ik me echt uit zo'n naargeestige periode trainen. Als ik dan mijn spieren weer vol voel lopen, als ik die *pump* ervaar, voel ik mijn depressie slinken. Het heeft niet te maken met zelfvertrouwen, wel met zelfbewustzijn, denk ik. Ik moet voelen dat ik mijn lichaam verzorg, dat ik gezond ben en vooral dat ik controle heb. Want dat is het natuurlijk ook gewoon, de behoefte controle te hebben over je lichaam, over hoe je jezelf voelt, over het leven zelf. Door te sporten heb je enige zeggenschap over je uiterlijk, en in mijn geval dus ook over mijn innerlijk – mijn gemoed.

Ik ben bijna vijftig en hoor vaak dat ik er veel jonger uitzie. Ook dat is prettig om te horen. Bovendien zit je kleding beter, je voelt je strakker en sterker. Het heeft allemaal met elkaar te maken. Ik denk dat ieder mens probeert zijn leven onder controle te houden. In veel aspecten van het leven is dat moeilijk. Relaties. Opvoeding. Werk. Maar sport is overzichtelijk, gestructureerd. Je bepaalt zelf het tempo, brengt zelf veranderingen aan in het lichaam, jouw lichaam, en de doelen die je ervoor stelt. En mijn sport, fitness, dat is iets wat je alleen kunt doen. Je bent van niets of niemand afhankelijk. Dat is ook belangrijk. Niemand vertelt je wat je moet doen, niemand bemoeit zich met je. Ook in dat opzicht is dit lichaam, deze tempel, mijn eigen verantwoordelijkheid. Ik laat het liever niet aan anderen zien en laat er maar zelden mensen dichtbij komen. Eigenlijk alleen de vrouwen met wie ik in mijn leven relaties aanging. Met hen deel ik het, zij mogen het bewonderen en op die momenten kan ik er zelf ook van genieten.

Ik wil voorkomen dat een vrouw zich ongemakkelijk bij mij voelt omdat ik zo hard aan mijn lichaam werk en zij dat zelf misschien niet doet. Dat hoeft ook niet. Ik wil een vrouw altijd geruststellen, laten merken dat zij goed genoeg is zoals ze is. Ik projecteer mijn visie op het lichaam niet op anderen – niet op de vrouw die ik liefheb. Ook mijn gevoelens over mijn lichaam hou ik voor mijzelf. Ik praat er niet over.

In een relatie moet het fijn zijn en vertrouwd, er moet geen druk op staan. Soms is het natuurlijk andersom. Dan ziet een vrouw mij als trofee, als een soort prijs die zij wil hebben om mee te pronken. Dat voel ik meteen en dan is het ook voorbij. Bij mannen gebeurt het ook wel eens. Bij het sporten of tijdens het uitgaan word ik regelmatig benaderd door mannen. Ik vind dat wel een compliment en kan er inmiddels redelijk goed mee omgaan, blijf vriendelijk, maar geef duidelijk aan waar de grens ligt. Nee, ik val niet op mannen, niet op die manier. Ik heb goede vrienden, ik heb mijn broer. Dat is wat ik met mannen deel. Verwantschap, geen seks.

Vanuit mijn opvoeding heb ik meegekregen beleefd te zijn. Toen ik, tijdens mijn jeugd al, gespierder werd, is daardoor een ogenschijnlijke tegenstelling ontstaan. Ik oog intimiderend, groot en sterk, maar ben geloof ik nogal zachtaardig en gevoelig. Misschien heb ik mijn leven lang wel steeds mijn uiterlijk gecompenseerd door vriendelijk te zijn tegen mensen om mij heen. Of dat zachtmoedige innerlijk beschermd door er een gespierde massa omheen te bouwen. Die tegenstelling gaat nog verder; ik zou het liefst opgaan in de massa. Door minder aan mijn lichaam te werken zou dat misschien kunnen, maar dat heb ik er niet voor over. Ik heb het trainen nodig. Zo blijf ik dus altijd hard werken aan de reden dat ik opval, terwijl ik liever onopgemerkt blijf.

ANTOINE BODAR (64)

Antoine Bodar is estheet. Kunsthistoricus. Priester. Onderwerpen benadert hij daardoor steeds vanuit meerdere in-
valshoeken. Wanneer wij beginnen over het afbeelden van
het mannelijk lichaam in de openbare ruimte, denkt hij even
na, om vervolgens een antwoord te geven dat uit vier delen bestaat. Maatschappelijk bekeken vindt Bodar het een
positieve ontwikkeling dat nu ook mannen bloter worden
afgebeeld in advertenties. Mits het stijlvol gebeurt. Het is een
vorm van emancipatie. Dan begint hij over de traditie waarin
hij als kunstliefhebber staat. In navolging van de kunstenaar
Alberti zegt hij dat het beter is jonge mensen naakt af te beelden en ouderen bedekt. Het derde deel van zijn antwoord
is esthetisch. Van schoonheid dien je te genieten. En hij eindigt met de religieuze manier van kijken naar de vraag over
mannelijk naakt in de openbare ruimte. Waar overschrijdt
de afbeelding de grens tussen het verleiden en seksualiteit?
Waar eindigt kunst en vangt pornografie aan? Een verhaal
over de vriendschap tussen Lucas Cranach en Maarten Lu-
ther volgt, en uiteindelijk vat Bodar zijn antwoord samen: de
wijze waarop gekeken wordt, of ervaren, bepaalt of iets te
ver gaat of niet. Dat is nooit voor iedereen hetzelfde.

De drang om in de bibliotheek van zijn woning aan de
Kerkstraat in Amsterdam verder te praten over naakt in de
kunsten is groot. Maar hoe ziet Antoine Bodar zijn eigen
lichaam?

Ik heb geen lichaam. Ik ben mijn lichaam. Onlosmakelijk verbonden en in dienst van God. Ik ben Zijn
knecht. Altijd geweest. Als jongen van zes wilde ik al
priester worden. Een psychiater heeft ooit gewroet in

mijn jeugd. Zij kwam met de analyse, en ik ben er blij mee dat zij het vanaf de buitenkant kon zien, dat het de aanraking met de liturgie is geweest. Ik ben estheet. De kerk maakte op mij in die eerste jaren al een overweldigende indruk. De muziek. Het gebouw. Achteraf zie ik in dat mijn fysieke reactie daarop nu hogelijk vanuit de tijd zal worden ervaren. Een gezonde geest immers in een gezond lichaam, zoals Aristoteles al terecht opmerkte. Maar mijn reactie was een andere, min of meer naar een figuur als Bernard van Clairvaux: ik wilde mijn lijf het liefst knechten, het 'zuinig' houden, het niet vergeten en wel verzorgen. Maar tevens het aan ascese doen gewennen. Afzien. Ik wilde heilig worden. Met God zijn, bedoel ik daarmee. Ik at zodanig dat indien noodzakelijk uit hoffelijkheid, terstond een volgende maaltijd genuttigd kon worden. Mijn ouders maakten zich daar wel zorgen over. Ik denk dat ik altijd aanleg heb gehad, en ook nog wel heb, voor anorexia. Mijn esthetische element kan ik niet loskoppelen van andere elementen. Veel spek maakt lui en weinig eten houdt de geest scherp.

Mijn hoofd is helderder met weinig eten. Ik voel mij beter en minder ontevreden over mezelf wanneer ik mij in eetgedrag in de hand houd. Mijzelf beheers. Gezeur daarover door anderen wijs ik steevast af met de opmerking dat in het dikbuikige Westen meer mensen sterven door te veel dan door te weinig door de keel.

Soms ben ik weleens minder streng door toeval of omstandigheid. Verdikking, hoe weinig ook, vertaalt zich dan in ontevredenheid. Ik neem me dan in de hand en matig zodanig dat honger verdwijnt en het oude regime terugkeert.

Ik ervaar steeds meer afkeer van al die rare afslankmethoden. Vooral na 'feestdagen'. Mijzelf, maar ook anderen, houd ik voor dat al die afslankerij in het geheel niet nodig is, mits men zich beheerst. De grens is de matigheid en het evenwicht. Ik heb de opdracht en de plicht mijn lijf te verzorgen en in stand te houden, niet te ondermijnen, opdat ik leef zolang als mij het leven is beschoren. Ik meen te begrijpen dat forse verdikking van mensen ook te maken heeft met stofwisseling. Tevens ben ik niet ongevoelig voor het standpunt dat elk pondje niettemin door het mondje gaat.

Hoe matiger ik eet, des te minder ontevreden ik ben.

Sinds 1998 woon ik, met onderbreking van een jaar, in Rome. Daar staat drie keer per dag het eten klaar. 's Morgens eet ik niets of een halve snede brood met kaas, soms met wat yoghurt. Ik drink koffie zonder suiker.

's Middags is in Rome de hoofdmaaltijd. Ik eet weinig van de pasta, wat sla, de helft van een stukje vlees of vis, nog wat groenten, indien aanwezig. Toetjes eet ik niet. Maar een vrucht neem ik mee naar mijn kamer om later tussendoor te eten.

's Avonds eet ik weinig, ongeveer de helft van de middag.

Ben ik in Nederland, dan eet ik overdag weinig tot niets en eet ik in de avond ongeveer zoveel als in Rome tijdens het middaguur.

Jezelf laten gaan, in dit geval met eten, ervaar ik als slap. Maar het leven wil ik evengoed niet controleren. Ik wil het liever geven en overlaten aan de lieve Heer. Ik dank Hem voor mijn lijf dat ik door mijn moeder en mijn vader van Hem heb gekregen. Ik blijf estheet en ik bemin de schoonheid waarvan het eerste kenmerk is dat uiterlijke schoonheid het gevolg is van innerlijke schoonheid. Innerlijk leven dus. Toch wil ik mijn lijf, hoe ouder wordend ook, zo sober mogelijk en dus zo onlelijk mogelijk, teruggeven aan God. Het is van Hem. Mijn lichaam staat in dienst van de Heer. Ik ben gewijd priester. Dat betekent dat ik Hem beloofd heb trouw te zijn. Deel van die belofte krijgt vorm in het celibaat.

Er is in afgelopen jaren commotie ontstaan over het celibaat. Er wordt een causale verbinding gemaakt tussen onthouding en het uit de hand lopen van verkeerde, seksuele neigingen. Dat is overigens op generlei wijze aangetoond. Algemeen onderzoek wijst uit dat er groepen zijn in de samenleving die misbruik maken van kinderen. Dominees en pastoors, protestanten en katholieken ontstijgen elkaar daarin niet. Psychiaters en leraren zijn andere groepen waarbij het misgaat. Het celibaat moet los worden gezien van die verkeerde neigingen. Het is een gave. Een opgave ook. En wanneer iemand er moeite mee heeft, moet de kat natuurlijk niet op het spek worden gebonden.

Het celibaat kun je alleen beleven als je echt staat voor de zaak. Wanneer ik het zelf moeilijk heb, leer ik met de apostel Paulus dat volharding ertoe doet. Daarin zijn er bij mij twee hoofdoverwegingen. Allereerst breng ik de situatie, de verleiding, terug bij God. Zoals de man getrouwd is met de vrouw, en haar trouw is, zo ben ik getrouwd met Christus. Met Zijn kerk. In de naam van Christus ben ik getrouwd met de kerk. Daarnaast ben ik mij zeer bewust van mijn voorbeeldfunctie. Het schaden van het celibaat zou veel kapotmaken. Bepaalde vooroordelen bevestigen over geestelijken in het algemeen en mijzelf in het bijzonder. Ik heb in mijn leven smaad en aantijgingen kunnen weerstaan omdat ik mijn belofte aan God altijd heb gehouden. Ik zou ook niet aan het altaar kunnen staan, of op televisie kunnen zeggen hoe belangrijk het is om Christus te kennen als ik het zelf niet doe. Bovendien denk ik dat de mensen het aan je zien als je liegt.

Ik ben een periode erg depressief geweest. Een psychiater zei toen tegen mij: als u nu eens begint met dominee te worden. Dan hebt u dat probleem met het celibaat niet meer. Maar ik wil geen dominee worden. Ik wil priester zijn. Als je niet meer gelooft in wat je zelf beleeft, ligt de verleiding altijd op de loer. Die zit in jouzelf.

Ik stoor mij aan de waarde die in onze samenleving gehecht wordt aan seksualiteit. Alsof zij identiteitsbepalend is. Dat is zij niet. In het boek *Ongeordende Liefde* heb ik voor het laatst verteld over mijn eigen seksuele oriëntering. Het is de nagel aan mijn kruis, heeft mij mijn hele leven achtervolgd. Ik wil er kort over zijn. Ik heb aanvaard dat ik ben zoals ik ben. 24 jaar leef ik nu celibatair. Die belofte maakt verder nadenken over oriëntering irrelevant. Ik heb beloofd mij niet in seksuele gemeenschap... Ach, natuurlijk speelt oriëntering een rol. Maar het bepaalt geenszins de identiteit. Ik heb veel nagedacht over het mannelijk zijn en het vrouwelijk zijn. Mijn identiteit is in Christus. Juist omdat ik onvolkomen ben. In zwakheid krachtig. Zwak in mijn oriëntering. In mijn frêle bouw. In mijn ijdelheid. Maar in de Schrift is een voorkeur voor het zwakke. Ik leef met de hulp van Gods genade.

Dat ik onlelijk, of zelfs mooi was, heb ik nooit geweten. Pas in mijn twintiger jaren merkte ik dat door de bevestiging van anderen. Wel ben ik God altijd dankbaar geweest dat ik geen bochel had, of een hazenlip.

Bij ijdelheid denk ik aan twee vormen. De ijdelheid der ijdelheden. De Vanitas, waarover ook de Prediker vertelt. Alles wat je doet is ijdel, leeg. Maar ik hecht wel aan verzorging. Ik ben katholiek... als ik van andere mensen wil houden, dan moet ik ook van mijzelf houden. Dus ik kan van mijzelf houden. Dat betekent dat ik mijn nagels knip. Dat ik mijn haren was en dat ik mij op gezette tijden scheer. Dus als ze mij vragen: bent u ijdel, dan zeg ik dat ik er waarde aan hecht verzorgd te zijn. Een broeder in het ambt zei ooit: 'Het is goed dat er ook dunne priesters zijn. Een verlopen kop is niet wervend voor de Here Jezus.'

Ik ben ook blij dat ik niet kaal ben geworden. Als vertegenwoordiger van God moet je gevoel voor humor hebben aan de binnenkant, en geen lelijke apenkop aan de buitenkant. Wat dat betreft ben ik ook dankbaar dat ik op mijn moeder lijk. Zij was dun. Ze had een gave huid tot haar zevenentachtigste. Dat is een zegen. Mooie mensen vinden dat alles vanzelf moet gaan. Ze zijn gewend aan hun goede uiterlijk. Verzorgen hun tanden niet, verwaarlozen de uiterlijkheden omdat zij er nooit iets voor hoefden te doen. Ik heb dat ook. Nooit iets hoeven doen voor mijn uiterlijk. Het is er gewoon. Toch kun je daarmee niet zeggen dat ik een uiterlijk persoon ben. Esthetiek is niet altijd uiterlijk. Het is wel degelijk ook binnenkant. Of, zoals ik in mijn proefschrift formuleerde: echte schoonheid is altijd innerlijke schoonheid. Een mooi persoon die lelijk uit de ogen kijkt, is niet meer mooi.

Buiten mijn eetgewoonte neem ik geen moeite om slank te blijven. Ik sport niet. Wandelen doe ik wel en heel af en toe ga ik zwemmen. Dat zou ik misschien vaker moeten doen. Maar ik heb een goed uithoudingsvermogen, kan lang wandelen. Mijn lijf is fit.

Ik zie, of ervaar, mijn eigen lichaam in bed. Ik slaap naakt. En vanzelfsprekend zie ik het ook onder de dagelijkse douche. Maar bekijk ik mijn lijf in de spiegel, dan zie ik vooral dat ik ouder word. Allereerst in de kop. Maar ook in het lijf. Het wordt stijver dan goed zou zijn. Het lichaam wordt er daardoor niet schoner op. Ik realiseer mij, wanneer ik mijzelf in de spiegel zie, dat het leven eindig is, en wellicht weldra eindigt. Toch ben ik niet bang om oud te worden. Ik ben al oud. Het is al zo. Ik ben nu 64. Zo oud voel ik mij niet. Onze maatschappij legt je op dat je jezelf op een bepaalde manier moet gedragen, op deze leeftijd. Daar doe ik niet aan mee. Ik vrees de dood geenszins.

Mijn lichaam vind ik niet om weg te gooien. Het is een tempel van de Heilige Geest. Daar moet ik voor zorgen. Ik representeer Christus. De knecht van de Heer dient goed voor de dag te komen.

JORGEN WELSINK(37)

Het is nog warm buiten, hoewel avond. We zien Jorgen (spreek uit Jeurn) aan komen lopen: een grote man met een flink, getraind postuur, zeer casual gekleed, in de juiste bermuda en de nog betere teenslippers. Ik bedoel: je ziet een man van de wereld, die er zelfs in z'n vrije tijd geen misverstand over laat bestaan dat ie weet wat er te koop is. En dat vervolgens ook meteen wil kopen.

Mijn vader ging dood, nu twee jaar geleden. Hij had een verantwoordelijke functie in een ziekenhuis. Er was nog zoveel wat ie wilde doen: mijn ouders hadden bijvoorbeeld niet lang daarvoor een huisje gekocht in Druhle, Zuid-Frankrijk, en dat was het helemaal voor mijn vader. Daar leefde hij op, daar zou hij zijn ouwe dag slijten. Hij liep er rond als een kasteelheer – dit was van hem, dit terrein, dit huis, waar nog zoveel aan moest gebeuren. Ik had hem nog nooit zo stoer gezien.

Hij wilde het natuurlijk ook aan mij showen, het huis, de omgeving, maar ik riep meteen: zolang er geen fatsoenlijke douche is, kom ik niet langs.

En toen ineens: slokdarmkanker. Hij ging meteen het hele behandeltraject in, chemo, alles, en dat sloeg redelijk aan.

Ik woonde op dat moment in Leuven, commerciële deal aan het voorbereiden, *multi country*, goed geld, en ook heel belangrijk voor mij. Dus ik zei tegen mijn ouders: 'Deze baan eist op dit moment 120 procent van me, ik snap dat jullie me nodig hebben, maar vaders is nog redelijk goed. Laten we wachten op het ogenblik dat het echt nodig is.' Ik wilde voor mijzelf bewijzen dat ik iets klaar kon spelen in mijn baan, dat ik carrière kon maken. Juist ook voor mijn ouders, die lang gedacht hebben dat het met mij niet goed zou komen.

Maar toen ineens ging alles hard achteruit: hij kreeg kanker in zijn hoofd, werd vergeetachtig en de aanvankelijke hoop sloeg om in de zekerheid dat ie niet lang meer te leven had. Ik heb 's ochtends de trein gepakt vanuit Leuven, en ben linea recta naar Zuid-Frankrijk gereisd, om daar naar het huis van mijn vader, zijn droom, te kijken. Ondanks alles straalde hij. Dit was het, dit wilde hij me laten zien, dit moest gedeeld worden.

Twee volle dagen gebleven, maar het werk riep en op maandagochtend heb ik de trein terug genomen: eerst naar Parijs, waar ik op een van onze kantoren ook nog wat kon doen, daarna weer naar Leuven.

Uiteindelijk heb ik de laatste drie maanden voor zijn dood voor hem gezorgd.

Ik zag dat lichaam steeds ijler worden, ik droeg hem naar boven, naar zijn slaapkamer, want de trap op, dat lukte hem niet meer. Ik sliep ook naast hem.

Zelf werd ik steeds breder, want er was nu tijd om veel te sporten. Gek was dat: ik zie me hem nog dragen, optillen. Weet je wat ik toen dacht? Dit is de eerste keer dat al die lang gekoesterde spieren van jou je ook echt van pas komen. Dat ze ergens voor dienen.

Ik ben altijd een fysieke jongen geweest, meer lichaam dan hoofd. Een laatbloeier op school. Mijn ouders maakten zich daar zorgen over. Mijn vader, met die verantwoordelijke functie... Nee, hij was geen medisch specialist, maar hoofdverpleger, en dan weer de coördinator van de hoofdverplegers. Via de MEAO ging ik naar de HEAO, maar daar ben ik uitgeklapt. Tweeënhalf jaar bij Carpetland gewerkt, uiteindelijk als assistent-bedrijfsleider. Bij Hennis & Mauritz ook nog – ik hou van kleren. Ook nog medewerker van de Nederlandse Bank geweest. Ik heb een commercieel instinct, niet per se een intellectueel. Ik denk dat mijn ouders dat graag anders hadden gezien.

Wel altijd een sportjongen geweest: hardlopen, voetballen, sprintjes trekken. Dat lag me, daar kon ik in uitblinken. Ik zal een jaar of zeventien zijn geweest toen ik voor het eerst naar de sportschool ging. Ik heb een makkelijk lichaam, het doet wat ik wil. Binnen een half jaar zag je hoeveel ik gegroeid was. Breder. Steviger. Ik was, ook door de atletiek, altijd een ranke lange jongen geweest, en veranderde in iets... mannelijks, laat ik het zo maar noemen.

Trainde met een maat van me, ook een fanatiekeling, en we wisten wat we wilden: als wij onze shirts uit zouden trekken, moesten de mensen zich afvragen: Wat krijgen we nu? De verbijstering, de sensatie in andermans ogen. Dat wilden we zien.

Ik ging daar ver in: we hebben met z'n tweeën een sumodieet gevolgd, à la die Japanse worstelaars. Twintigduizend calorieën per dag. Da's veel hoor, dat is tot kotsen toe eten, de hele dag. Het is een manier om je maagwand op te rekken, zodat er meer in kan, en je ook weer harder kunt groeien. Je hebt brandstof nodig, als zo'n hele grote Benz waar ook voor een vermogen in de tank verdwijnt.

Natuurlijk, ik wilde het mannetje zijn, dat mensen niet meer zomaar over je heen kunnen lopen. Vroeger was dat wel gebeurd en dat moest afgelopen zijn.

Ik kocht bladen over trainen, keek naar de video's van Schwarzenegger, multivitaminen, mineralen, aminozuren, eiwitten, de hele zooi.

Wel nagedacht over steroïden, maar het uiteindelijk niet gedaan. Het klinkt aanlokkelijk, maar in die tijd moest ik een scriptie schrijven, en dan lees je wat er zoal kan gebeuren met je lichaam op het moment dat je het volspuit: verschrompelde ballen, impotentie, hart-, lever- en nierklachten. Ik was snel bekeerd tot *natural grow*.

Het belangrijkste was en is: het gaf me zelfvertrouwen. Ik heb nooit het idee gehad dat ik een lelijk eendje was, maar wel een ondergewaardeerd eendje. Ik kan echt blij zijn met mijn uiterlijk, ik kan voor de spiegel staan en denken: O, zo.

De extra seksuele aandacht? Ik zou liegen als ik beweerde dat dat helemaal geen rol speelt. Ik heb al jaren een vriendin, dat is een belangrijke, maar soms ook een moeizame relatie. Knipperlicht, je kent het wel. Aan. Uit. Maar we knipperen nu al zo lang met elkaar dat we niet meer zonder elkaar kunnen. Ook niet willen, denk ik onderhand.

Zij is wat je noemt veel meer een intellectueel. Heel slim, goede opleiding. Ik hou ervan geprikkeld te worden, vooral op dat terrein. Ze daagt me uit met haar kennis.

Zij is er niet tegen dat ik zoveel train, al vindt ze het soms een beetje té.

Ik besteed aandacht aan mezelf, ook als het gaat om crèmes, goede aftershaves, dat soort dingen. Mijn kleren, m'n shirts en pakken gaan naar de stomerij. Wat is er eigenlijk tegen? Tiptop. Daar streef ik naar. En voeding, natuurlijk, da's belangrijk, daar ben ik steeds fanatieker in geworden.

Momenteel houd ik me bezig met wat er eigenlijk in ons voedsel zit. Koop alleen bij de natuurwinkel en markten met uitsluitend organische producten. Je moet dat boek van Corinne Couget eens lezen, waarin ze beschrijft wat er aan de hand is met discutabele E-elementen in ons eten. *Wat zit er in uw eten?* Je hebt er vast van gehoord.

Nee, dat vind ik niet overdreven: ik zie mijn vader nog liggen, met die kanker in zijn darmen, dat lichaam dat het begeeft.

Vroeger heb ik ook wel eens met mannen seksueel geëxperimenteerd. Ik bedoel, als jij je lichaam boetseert, valt het de homo's natuurlijk als eerste op. Ik wilde openstaan voor nieuwe ervaringen. Heb er ook nooit spijt van gehad dat ik het gedaan heb. Die grens tussen homo en hetero is echt niet zo strikt als de meeste mensen je willen laten geloven. En mannen weten natuurlijk van elkaar hoeveel moeite het kost een lichaam op te bouwen en op peil te houden. Mannen begrijpen de prestatie die je hebt geleverd beter.

Ik ga minstens drie keer per week naar de sportschool, anders voel ik me rot. Schuldgevoel, ja, het zal wel lijken op wat gelovigen vroeger met de kerk hadden. Dat ze moesten.

Van huis uit ben ik katholiek, maar dat is eigenlijk al heel snel verwaterd. Hoewel, als ik in het buitenland ben en langs een kerk loop, moet ik een kaarsje opsteken.

En verder moet je ook zorgen dat je je geestelijk voedt. Ik heb NLP gevolgd, neurolinguïstisch programmeren. De clou is: 7 procent van wat je zegt wordt bepaald door taal, 38 procent door de manier waarop je het zegt, en 55 procent door je *body posture*, je lichaamshouding.

Stel je voor: een komiek betreedt het podium, met een lachend gezicht, en hij zegt tegen zijn publiek: 'Zo klootzakken, zijn jullie daar weer?' Daar wordt toch om gegrinnikt. Body posture.

Ik heb altijd te horen gekregen dat ik moeilijk kon leren, vroeger, op school. Dat draag je met je mee, dat wordt je eigen mantra. Maar als je ziet hoe snel ik leer om verkoper te worden of iets commercieels op te zetten, kan je niet volhouden dat ik moeilijk leer.

It's just a mind set.

Ik ben naar een seminar geweest van Anthony Robbins, de goeroe van de persoonlijke ontwikkeling. Een *life changing experience*. Daar zaten beroemdheden uit de televisiewereld, en ik snap waarom die topmensen zulke bijeenkomsten bezoeken. Want je draagt zoveel ouwe shit met je mee, terwijl elk trauma om te zetten valt in iets positiefs. Robbins vertelde het verhaal van de man die naar hem toe komt om advies te krijgen: hij kan niet leren, dat is zijn probleem. 'Oké,' zegt Robbins, 'wat doe je nu?' De man weer: nou, ik leid alweer een tijd een surfschool, dat gaat uitstekend, veel klanten, goed geld. 'Wat knap,' antwoordt Robbins op zijn beurt, 'waar heb je dat toch geleerd, dat leiden van een surfschool? Want voor iemand met jouw leermoeilijkheden is dat eigenlijk niet te doen.'

Precies zo wil ik naar het leven kijken. 'Leren is leuk': dat stamp ik in mijn kop. Het zal me niet gebeuren wat mijn vader is overkomen – althans, ik doe mijn uiterste best om dat te voorkomen. Mijn vader ging, net op het moment dat hij echt leek te gaan leven, dood. In Frankrijk, zijn huis, zijn droom.

Dat is wrang.

Nog zoiets: geld. Mensen doen daar moeilijk over, maar ik denk dat je ook daar je doelen kunt stellen. Mijn idee is dit: ik wil uiteindelijk een euro per seconde verdienen, of ik nu slaap of wakker ben.

Dat betekent 3600 euro per uur, 86 400 per dag en 31 536 000 euro per jaar.

Ik ben er nog niet, maar het zal gebeuren. Ik heb het op mijn *vision board* geschreven, het hangt in mijn slaapkamer met foto's van al mijn doelen. Daar zit ook een foto tussen van een enorme berg geld à la Dagobert Duck.

Ik kijk er iedere avond even goed naar.

AAT VELDHOEN (75)

Het is een heel breed huis, zeker voor Amsterdamse begrippen. De buitenkant is beschilderd – ongeveer zoals men zich een villa voorstelt in de Romeinse tijd. Het naambordje: geen bordje maar een bord. 'Aatje Veldhoen' staat er met zwierige letters. Het getuigt van een frisheid van geest dat iemand die 75 is, nooit in de verleiding is gekomen om van 'Aatje' 'Aat' te maken. Kennelijk hoeft Veldhoen geen gezag uit te stralen, of zich meer volwassen voor te doen dan ie zich voelt.

En dan het huis zelf: de schilder gaat ons voor, met twee penselen in zijn linkerhand, alsof ie elk moment geroepen kan worden tot iets schilderachtigs. Grote, ruime kamers, zalen bijna, verspreid over een drietal verdiepingen. En eigenlijk zien al die kamers er eender uit: als ateliers, ruimtes dus waar altijd, op elk moment van de dag, gewerkt kan worden.

En dan is er die krankzinnige kleurexplosie, want werkelijk overal, van de wc tot het trappenhuis, staat en hangt het vol met werk van de meester zelf. Tekeningen, schilderijen, sculpturen, installaties – en alles uitgevoerd in knaloranje bijvoorbeeld of heel hard roze. En toch heb je niet het gevoel in een museum rond te lopen, en al helemaal niet in een narcistische uitdragerij. Hier is iemand aan het werk die alles wat hij maakt om zich heen wil zien, zoals sommige oma's overal foto's hebben hangen van al hun kleinkinderen.

De tuin: terrasachtig, met aflopende treden naar een binnenplaats, met een manshoge fallus, een vrouwentorso, een monument voor Srebrenica ('Is privémonument,' zegt Veldhoen) en nog tientallen andere objecten, die twee dingen gemeen hebben: hun maker en hun exuberantie. Zelfs de plastic tuinstoelen zijn handbeschilderd.

Even wat feiten: vijf jaar geleden werd Aatje Veldhoen getroffen door een beroerte. Zo'n twee weken kon hij niets meer: niet bewegen, niet slikken, laat staan schilderen of pra-ten. Dat laatste lukt inmiddels moeizaam: je moet even wen-nen aan Aatjes uitspraak, en ook aan het feit dat ie op elke vraag een antwoord geeft van vijf à zes woorden, waarna een opgewekte stilte volgt. Zijn rechterhand is nog steeds verlamd, dus is de kunstenaar zijn linkerhand gaan gebruiken om toch nog alles te kunnen maken wat hem voor de geest komt.

En dan is er het moment dat misschien wel het meest ontroerende is van dit tamelijk zwijgzame onderhoud. Als ik Aatje naar zijn eerste vrouw vraag, die ook zijn eerste liefde was, haalt hij van achter in de kamer een klassiek meisjespor-tret op.

Toen geschilderd, als zestienjarige: knap, virtuoos (ook toen al) en van een Vermeer-achtige schoonheid, zowel het werk als het meisje. Ze is zestig jaar ouder, inmiddels, of be-ter gezegd: ze is dood, maar door Aatjes hand blijft ze voor eeuwig aanbiddelijk, mysterieus en mooi.

Aatje stopt zichtbaar vergenoegd zijn ultramoderne hasj-pijpje en neemt een paar flinke halen.

Nog even een leesaanwijzing: het gesprek dat nu volgt, is er een waarin niet veel gezegd wordt. Ja, aanvankelijk door ons, de interviewers, die vragen stellen van vier, vijf zinnen waarop dan een enkel 'ja' volgt of een kort schudden van het hoofd. Noodgedwongen krijgen de antwoorden van Aatje door zijn spraakbeperking een vreemde, apodictische kracht, alsof hier een orakel aan het woord is, en niet gewoon een man van midden zeventig die een beroerte heeft gehad.

Het vele wit dat Aatjes woorden omgeeft werd uiteinde-lijk voor ons een poëtisch wit, terwijl het bij het begin van het gesprek nog een zeer ongemakkelijk, nerveus wit was.

Stelt u zich een gesproken gedicht voor, met een paar strofen per bladzijde.

Zo ongeveer moet de sprekende Aatje gelezen worden.

Zestien, eerste keer. Met een vrouw.
Nooit met mannen. Alleen met vrouwen
Magische ervaring, eerste keer.
(Ongeveer 22 seconden)

Veel vrouwen? Valt wel mee.
Stuk of twintig.
Hele leven, stuk of twintig.
Hedy (d'Ancona) is laatste grote liefde.
Vrouwen hebben ander lichaam dan
ikzelf. Dat windt op.
(58, 59 seconden)

Kijk wel naar jongere vrouwen,
vroeger probeerde je ze in bed te krijgen.
Nu kijken.
Is genoeg.
Je liefde en je seks groeien mee met je
leeftijd.
(In totaal 1.30 minuut)

Eigen lichaam? Weet ik niet.
Of mannen esthetisch mooi zijn? Kunnen
zijn?
Geen dikke buik, denk ik. Dat is niet
mooi.
Wel comfortabel met mijn lichaam.
Nooit bij stilgestaan.
Geen sport.
Schilderen. Tekenen.
(2 minuut 11)

Ik was en ik ben geloof ik niet lelijk.
Hedy zegt dat ze mij mooi vindt.
(Met lach mee: 14 seconden)

Nooit echt ziek geweest.
Vijf jaar geleden die beroerte. Lichaam
laat je in de steek.
Ik was bijna dood.
Daar merk je niks van.
Van de dood merk je zelf niks.
(Met peinsstilte mee: 2 minuut 13)

Vroeger was ik bang voor de dood: vrouw,
kinderen – die kon ik niet achterlaten.
Dat kan je niet hebben.
Nu angst veel minder.
Tachtig is een goede leeftijd om dood te
gaan.
Vierennegentig, vijfennegentig: word je zo
lelijk.
Jong zijn is leuk, want je bent zo vitaal.
Oud zijn, word je ontzettend wijs.
Haha. Nee, niet echt.
(Uitgebreid geproest: 2 minuut 3)

Acht kinderen. Volwassen allemaal.
Kan ze alleen laten.
Kan ik Hedy alleen laten?
Ik kan er niks aan doen als het gebeurt.
Niks.
Zij geeft me wel extra veel zin om te
blijven leven.
(2 minuut 14)

Vroeger was ik een babbelaar.
Ouwehoeren.
Gaat niet meer.
Is niet frustrerend.
Gaat gewoon niet meer.

(Denkstilte van zeker 30 seconden, in
totaal 1 minuut 27)

Of Hedy de lange gesprekken met me
mist?
Ik denk het wel.
Maar niks aan te doen.
(Vooral de verbazing over de vraag kost
enige tijd, en de precieze manier waarop
Aatje antwoord wil geven. 2 minuut 50)

Gecremeerd.
As? Maakt niet uit.
Donder de zee in.
(Razendsnel, als antwoord op vraag: twee
maal twee is? 4 seconden)

Passies....
schilderen, tekenen, dingen maken.
En vrouwen.
Het liefst natuurlijk: vrouwen schilderen.
Elke dag.
(Het hardop denkend antwoord geven, zo
eerlijk mogelijk, kost tijd:
in totaal 2 minuten. De laatste zin rolt er
in één keer uit, niet als een verzuchting,
maar als een belofte.)

Élke dag.
(Precies 1 seconde)

AHMED MARCOUCH (40)

Ahmed Marcouch is politicus. Als stadsdeelvoorzitter in Amsterdam-West werd hij al snel de Sheriff van Slotervaart genoemd, vanwege zijn kordate optreden in dat moeilijke deel van de stad. No nonsens. Hij is hard en helder voor anderen. Maar ook voor zichzelf. Dat vertaalt zich onder meer in de bereidheid offers te brengen. Toen hij dreigde te zakken voor het fysieke examen van de politieschool omdat hij niet goed genoeg kon zwemmen, is hij maandenlang, nog voor zijn werk, om zeven uur 's ochtends naar het openbare zwembad gegaan om te oefenen. Tussen de bejaarden. In zijn politieoverall. Tegen het einde van de zomer had het chloor zijn overall gebleekt. Maar Marcouch zwom sneller dan veel van zijn collega's en werd toegelaten tot het corps.

In mijn jeugd was het lichaam taboe. Om van seksualiteit nog maar te zwijgen. Dat had religieuze en culturele redenen. Maar werd versterkt doordat wij met z'n achten op veertig vierkante meter woonden, aan de Beukenweg in de Amsterdamse Oosterparkbuurt. Ik was tien jaar toen ik naar Nederland kwam, moest mij de taal en de cultuur eigen maken. Op de leeftijd dat Nederlandse kinderen nieuwsgierig worden naar hun eigen lichaam had ik andere dingen aan mijn hoofd. Mijn vader was arbeider. We leefden sober en geïsoleerd van de rest van de samenleving. Hadden vooral contact met andere Marokkaanse gezinnen uit de buurt, of van de moskee. En dan het liefst uit ons eigen dorp in Marokko.

Op school maakte ik bijna geen vriendjes. Ik sprak die eerste jaren slecht Nederlands en ik kon toch nooit iemand mee naar huis nemen om te spelen. Wel bestudeerde ik de wereld om mij heen. Ik wilde kunnen doen wat de anderen ook konden. Van spelletjes op het plein tot huiswerk. Niet achterblijven. Zodra het mocht, nam ik een baantje. Mijn Nederlands verbeterde snel toen ik *de Volkskrant* rond ging brengen en hem zelf ook elke dag probeerde te lezen.

Via schoolbank.nl heb ik even geleden een foto opgezocht uit mijn jeugd. Mijn herinneringen aan die tijd gaan over de strijd om mij aan te passen, mezelf te ontwikkelen. Over ons gezin en de woonomstandigheden. Maar niet over mijn uiterlijk. Mijn vader kocht de schoolfoto's nooit. Dat vond hij zonde van het geld. Mijn uiterlijk herinner ik mij vooral vanaf de puberteit. Ik had een slechte huid. Dat maakte mij onzeker. Terwijl mijn tantes mij juist met mijn uiterlijk, de bos krullen op mijn hoofd, complimenteerden.

Die onzekerheid is lang gebleven. Of misschien moet ik het verlegenheid noemen. Ik was timide. Zodanig dat als iemand in de familie mij wat vroeg, ik naar beneden keek en mompelend een antwoord gaf. Ik durfde mensen niet aan te kijken, begon te zweten als de aandacht op mij werd gevestigd.

Nadat ik de lts gedaan had, kwamen de sollicitatiegesprekken. Een regelrechte hel. Ik schoot voortdurend in een kramp, wist mij geen raad met mijn lichaam, mijn voorkomen. Uiteindelijk kwam ik in de zorg terecht. Dat wilde ik graag. Het leek mij sociaal en dienstbaar. Maar dat pakte heel anders uit. In die periode werd ik voor het eerst geconfronteerd met het blote lichaam van een ander. Met het aanraken van andermans blote lichaam. Ik moest mensen wassen. Dat ging lang niet altijd goed, omdat het voor mij zo'n nieuwe ervaring was. Mijn coach begreep mij niet.

Dan kreeg ik op mijn kop omdat iemands billen niet grondig gewassen waren en ik was te verlegen om uit te leggen waarom ik moeite had met mijn werk. Ik bleef solliciteren naar ander werk.

Verlegenheid was bij ons thuis een deugd. Het werd aangemoedigd. Ik kwam daardoor met mezelf in conflict, want ik voelde dat de samenleving juist riep om een stevige presentatie. In de uitverkoop heb ik in die periode een boekje gekocht over lichaamstaal. Ik weet de titel niet meer. Maar ik kocht het nadat ik de eerste keer was afgewezen bij de politieschool, voor het psychologische onderzoek. In dat boekje stond dat je de psyche en sociale vaardigheden kon trainen. Ik las voor het eerst dat de manier waarop je staat of zit, waarop je je handen beweegt, uit je ogen kijkt, hoe je een ander begroet, dat al die dingen iets over je zeggen. Het was een herontdekking van mijn lichaam. Misschien zelfs wel de eerste ontdekking. Ik trainde mijzelf voor de spiegel. Oefende mijn houding, de wijze waarop ik sprak en bewoog. In die tijd was ik nog vrij orthodox. Ik luisterde veel naar preken van een populaire imam. Die stonden op cassettebandjes, want je had toen nog geen cd's en internet. Marokkaanse mannen luisterden ernaar in coffeeshops. Die imam sprak prachtig Arabisch. Ik begreep daar toen nog niets van, maar het klonk poëtisch en eloquent. Dat sprak mij aan. Ik wilde dat ook kunnen. Zijn woorden herhaalde ik voor de spiegel, alsof ik een menigte toesprak.

Dat boekje over lichaamstaal is belangrijk geweest. Toen ik op een gegeven moment een paar jaar in een fabriek werkte, bracht ik tijdens het werkoverleg alles wat ik leerde in praktijk. Zo'n overleg was voor de meeste mannen een verplicht nummer. Iedereen zat onderuitgezakt en verveeld te luisteren naar de chef. Uitzitten en dan weer aan de slag. In mijn boekje had ik gelezen dat je rechtop moest zitten. Actief diende te luisteren en altijd pen en papier bij je moest hebben. Al had ik geen idee wat ik op moest schrijven. Ik nam een notitieblok en een pen mee. Vervolgens maakte ik er een sport van om na elk werkoverleg bij de rondvraag iets te zeggen. Mijn collega's schrokken als ik mijn punt maakte. Ze vonden dat ik een grote mond had tegen de chef. Maar die chef, normaal gesproken een zure man, waardeerde mijn bijdrage. Daardoor werd ik steeds mondiger. Ook buiten mijn werk. In de moskee ging ik in discussie met anderen. Dat werd niet altijd gewaardeerd. Ik was een van de eersten die, in een moskee in Rotterdam, een voordracht hield in het Nederlands. Dat gaf mij voldoening. Ik heb lange tijd imam willen worden. Dat was een droom. Uren stond ik voor de spiegel te oefenen. Toch ging dat vooral om houding en mimiek. Ik trainde mijn lichaam niet fysiek. Dat gebeurde pas later, toen ik eindelijk bij de politie kwam. Daar ging ik kickboksen, fitnessen, touwklimmen en survivallen. Ik merkte dat het mij goeddeed. Dat mijn lichaam veranderde. Daarvoor was ik mij niet bewust van mijn lichaam. Het was er, maar ik dacht er niet over na. Nu wezen anderen mij er tijdens het trainen op dat ik goede schouders had. Daar ga je dan zelf ook op letten. Het is alsof je in een trechter gezogen wordt. Ik raakte steeds meer bewust van het belang van gezondheid en conditie, wilde lichaam en hoofd in balans houden.

In mijn huidige werk is het moeilijk een ritme te vinden waarin plaats is voor sport. Ik weet hoe belangrijk het voor mij is, maar ik kom er niet toe. Het is veel te lang geleden dat ik aan mijn lichaam werkte. Mijn hardloopschoenen staan al maanden in de hal. De afgelopen jaren heb ik regelmatig sportscholen gesponsord. Wel betalen, niet gaan. Heel af en toe lukt het mij een tijdje push-ups te doen. Daar houd ik dan na een paar weken weer mee op. Maar de drang blijft bestaan. Gezondheid, goed voor mijn lichaam zorgen, zie ik als een opdracht die in mij aanwezig is. Maar ik moet wel de rust in mijn hoofd hebben om die opdracht uit te voeren. Ik werk zoveel dat ik, als ik dan eindelijk even thuis ben, helemaal niets meer wil doen. Sporten moet gepaard gaan met rust en goed eten. Daar moet ik een modus in vinden. Maar dat lukt mij niet op dit moment. Er gebeuren te veel andere dingen. Tijd is eigenlijk geen excuus. Het is een mentaliteitsprobleem. Daarin zit ook een tegenstrijdigheid, want ik ben van karakter gedisciplineerd en gedreven. Misschien heeft het ook met noodzaak te maken. Die ontbreekt nu. Toen ik bij de politie zat had ik dat lichaam nodig. Het was een belangrijke factor in mijn werk. Ik voelde mij ertoe verplicht een tasjesrover te kunnen pakken bij een achtervolging. De voldoening was groot als dat lukte.

Ik was ooit, in burger, getuige van een tasjesroof. Ik zag de dief wegrennen over de Kalverstraat. Ik liet mijn schoenen, die wat los om mijn voeten zaten, staan en ben op mijn blote voeten achter die man aan gerend. Mensen wisten niet dat ik bij de politie zat en zagen een woeste Marokkaan achter een Surinamer aan rennen. Niemand deed iets. Vooroordelen werden van alle kanten bevestigd, maar ik kreeg hem te pakken omdat ik een goede conditie had. Dan ben je trots. Toch zou ik niet zover gaan te zeggen dat ik mijn zelfvertrouwen uit mijn lichaam haalde. Ik heb nooit veel geweld hoeven gebruiken. Autoriteit straal je uit. Dat heeft met een voornemen in je hoofd te maken. Wat dat betreft ben ik dus toch meer een hoofdman. Je moet geloven in wat je doet. Als je bang bent of onzeker, voelen anderen dat. Daar zullen ze misbruik van maken. Maar als jij zelf weet wat je wilt, als je doortastend op je doel af gaat, zal een ander je daar niet snel van weerhouden. Ik weet dat ik mijn missies alleen voltooi als ik bereid ben risico's te nemen. Mijn werk in de politiek is als een bokswedstrijd. Als je niet bereid bent klappen te incasseren, kun je ook niet winnen. Dan moet je eigenlijk niet eens de ring in stappen. Ik wil mensen betrekken bij wat ik doe. Maar er zullen altijd tegenstanders zijn. Daar houd ik van tevoren rekening mee.

Als mijn tegenstanders uit mijn eigen omgeving komen, staan zij vaak op het verkeerde been. Als ik vroeger een bon uitschreef voor een islamitische Amsterdammer, werd mij wel eens voorgehouden dat wij elkaar juist moesten helpen. Broeder, noemde zo'n man mij dan. Ja, antwoordde ik op zo'n moment steevast, en ik moet straks rekenschap afleggen bij God, dat ik mijn werk goed heb gedaan. Daar gaat het om. Dat mensen zelf verantwoordelijkheid nemen voor wat ze doen. Voor hoe ze in het leven staan. De kritiek vanuit mijn eigen omgeving is het sterkst op gevoelige thema's. Sinds ik mij met homo-emancipatie bezighoud, wordt in Slotervaart wel eens 'homo' geroepen als ik over straat loop. Natuurlijk is dat vervelend. Maar wat het schrijnend maakt, is dat mensen blijkbaar niet doorhebben hoe belangrijk die emancipatie is. Ik ben niet bang een soort gay-icoon te worden. Mensen denken al snel dat je iets zelf moet zijn om ervoor te strijden. Het zou toch veel erger zijn als ik mij op bepaalde thema's niet meer inzette omdat ze mijn populariteit zouden schaden. Ik wil de koers varen die ik de juiste acht. Daarin laat ik mij niet leiden door de verwachtingen van derden. In islamitische kringen is het vooral de losbandigheid van sommige homo's die tegenstaat. Ik kan mij bij zo'n losbandig leven ook niets voorstellen.

Maar ik kies ervoor mij in te zetten voor mensen. Niet voor details.

Zelf heb ik mijn lichaam nooit gevierd. Tenzij je zonnebaden tot dat vieren rekent. Daar houd ik van. Maar echt losgaan, daar heb ik altijd moeite mee gehad. Ik heb nooit alcohol gedronken. Nooit drugs gebruikt. Je zult mij op een dansvloer niet alle remmen los zien gooien. Toen mijn vader ooit een paar dagen weg was, heb ik van mijn krantengeld een pakje sigaretten gekocht. Ik wilde weten hoe het was om te roken. Ik ben vrij, dacht ik. Nu kan het. Maar ik vond het zo vies dat ik er nooit meer aan begonnen ben. Wel rook ik tegenwoordig heel af en toe een sigaartje. Als ik stout wil zijn. Daarin verschil ik van de jonge generaties Marokkanen in Nederland. Vergis je niet. We moeten nog van heel ver komen. Ook wat betreft dat taboe op lichaam en seksualiteit. De jonge generaties maken twee revoluties mee. Homo-emancipatie is er eentje. Maar de seksuele revolutie is binnen de Marokkaanse subcultuur in Nederland ook nog in volle gang. Dat is niet eenvoudig. Voor jonge Marokkanen is het lichaam heel belangrijk. Verzorging ook. Maar ze praten daar niet over. Het is nog steeds taboe. Net als bij mij vroeger. En misschien wel om dezelfde redenen. Dat taboe moet van binnenuit verbroken worden. Dat begint dus bij de familie thuis. Ik zei laatst tegen mijn neefje in Marokko dat hij een knappe jongen is. Met dat compliment kon hij niet omgaan. Hij wist niet hoe hij het moest incasseren. Als je bedenkt dat het gesprek over uiterlijk en lichaam al te veel is, weet je dat we op het gebied van seksualiteit nog een hele lange weg te gaan hebben. Maar dat mag ons er niet van weerhouden de eerste stappen te zetten.

JOHAN QUIST (48)

Johan Quist is homofiel. Niet homoseksueel. Een seksuele relatie tussen twee mannen druist in tegen zijn Bijbelvisie. Met de stichting RefoAnders zet Johan zich binnen de reformatorische wereld in voor de bespreekbaarheid van homogevoelens. Hij heeft een vrouw en vijf kinderen die hem steunen in zijn strijd.

Ik kom van Tholen. Een afgezonderde plaats in Zeeland. Behoorlijk orthodox. Veel mensen uit de Gereformeerde Gemeente. Binnen die stroming van de kerk groeide ik op. Of eigenlijk mag ik zelfs zeggen dat ik het grootste deel van mijn leven kerkte binnen de Gereformeerde Gemeente. Ger Gem, noemen wij het zelf. Er is daar weinig nadruk op de liefde van God. Maar meer op de onmogelijkheid van de mens om de band met God te herstellen. Toch voelde ik mij er als kind thuis. Het hoorde bij onze omgeving, maakte deel uit van het leven. Elke zondag twee keer naar de kerk. Ook toen ik later uit Tholen ben weggetrokken. Vijf jaar geleden is daar pas verandering in gekomen. Dat was het moment dat ik mijn vrouw vertelde dat ik homogevoelens had. Daarna voelde ik mij in die kerk niet meer thuis. Als homo paste ik niet tussen al die uitgestreken gezichten, al die mensen die geen woord met elkaar spraken. Ik hoorde daar niet meer. Ik huichelde, dacht ik toen.

Het was niet makkelijk mijn vrouw te vertellen over mijn gevoelens. Ik trouwde met haar toen ik 23 was. Zo deed je dat in onze kringen. Meisje uit hetzelfde dorp. Zelfde gemeente. Ik bewandelde het pad zoals het hoorde. We trouwden vanuit het idee dat het tijd was naar de toekomst te kijken. Vanuit traditie. Ik heb daar geen spijt van. Eerlijk gezegd heb ik in de eerste jaren van ons huwelijk ook nooit gedacht dat ik homofiel was. Of homogevoelens had. Is dit nu liefde, heb ik wel eens gedacht. Soms miste ik een bepaald soort diepgang, maar omdat ik geen vergelijkingsmateriaal had, concludeerde ik dat het voor anderen hetzelfde moest zijn. In onze kringen praatten mensen toen niet over intimiteit en seksualiteit. Achteraf denk ik wel eens... ja, Johan, je voelde je op dat zomerkamp wel heel erg verbonden met een bepaalde jongen. Tranen met tuiten huilde ik toen ik een keer niet naar die jongen toe mocht. Dat was toch meer dan vriendschap, een diepere band. Maar ik heb het nooit gelabeld. Pas toen ik, rond mijn dertigste, naar Rotterdam ging voor een omscholing, merkte ik dat er iets aan de hand was. Ik raakte op school in gesprek met een homofiele man. Dat vond ik interessant. Ik herkende veel van wat hij zei, maar voelde geen verlangen met hem te slapen of zelfs maar te zoenen. Nee, het ging om de gesprekken en het inzicht dat eruit voortkwam. Het hielp mij te reflecteren op mijn eigen leven. Een bestaan dat er niet bepaald makkelijker op werd. Daar zat ik dan met mijn gevoelens. Een homofiele man met vrouw en kinderen. Het heeft nog bijna tien jaar geduurd voor ik mijn vrouw uiteindelijk vertelde hoe het zat.

Onze dochter kreeg problemen op school. Ze zat ergens mee, maar we kwamen er niet achter wat dat was. Uiteindelijk bleek ook zij homogevoelens te hebben. Ik herkende veel van de dingen die zij vertelde, wilde dat zij zich thuis vrij voelde, zichzelf kon zijn. Maar ik voelde ook een conflict met mijzelf, zag bij haar hoe moeilijk het is als je niet kunt praten over je diepste gevoelens. Ik wist dat ik nog dichter bij haar kon staan als ik eerlijk was over mijn eigen gevoelens. Eerlijk, ook naar mijn vrouw. Ze reageerde geschrokken, maar vertelde mij dat ze mij door die ontboezeming nu beter begreep en nog meer van mij hield. Ook omdat ik ondanks alles voor haar koos en haar trouw bleef. Natuurlijk is het moeilijk voor haar. Ze weet en voelt dat ik haar niet seksueel begeer. Dat ik haar dat deel van onze relatie niet kan geven. Toch houdt ze van me. Niet alleen je gevoel is een richtsnoer in het leven, ook je verstand. En je geloof. Dat geldt voor ons allebei.

Mensen vragen mij wel eens of het voor mijn vrouw niet beter zou zijn als we uit elkaar gingen. Dan zou zij nog iemand kunnen vinden die haar ook seksueel begeert. Maar dat gaat in tegen onze geloofsvisie, onze interpretatie van de Bijbel. Wij hebben elkaar trouw beloofd, tegenover God en de Kerk. Die belofte doen wij gestand. Bovendien houden wij veel van elkaar. Mijn vrouw steunt mij in mijn pogingen homofilie binnen de reformatorische stroming bespreekbaar te maken. Het moet moeilijk voor haar zijn om mij zo nu en dan, als vertegenwoordiger van de stichting RefoAnders, op te zien treden in de media. Maar eenmaal is het nieuwtje er wel vanaf. Tussen de reacties op mijn optreden in de media zitten regelmatig steunbetuigingen voor haar. Die laat ik haar lezen. Tegelijkertijd zou ik er heel veel moeite mee hebben als ze mij vroeg te stoppen met mijn werk voor RefoAnders. Ik zie dit werk als roeping. Gelukkig vraagt mijn vrouw mij niet die roeping te negeren.

Ik zie mijzelf, met deze homogevoelens, als een gebrokenheid in Gods schepping. Ik denk dat wanneer Hij de mens schiep en zei dat het goed was, het ook echt goed was. Hij zei niet: Er zitten nog een paar onvolkomenheden in. Nee, bij de schepping was de mens volmaakt.

God heeft de mens als man en vrouw geschapen. Ik geloof ook dat hij de seksuele gevoelens daarop heeft afgestemd. Homogevoelens komen voort uit de zondeval. Voor de zondeval lezen we niets in de Bijbel over schaamte. Na die zondeval wel. Dan is daar ineens dat schaamtegevoel. Toen moet ook de gebrokenheid zijn gekomen in seksualiteit. De homogevoelens. En ook andere gebroken vormen van seksualiteit en gevoel, of zelfs karakter, het onvoltooide: lust, ziekte, geldzucht, jaloezie en ga zo maar door.

Het liefst zou ik ook een gewoon leven hebben, volkomen willen zijn. God heeft ook mij gemaakt. Ik weet dat Hij, in al mijn onvolkomenheid, van mij houdt. Toch heeft Hij de mens anders bedoeld. Als ik het over diepgang heb, bedoel ik dat vanuit de Bijbelse visie op de schepping. God schept van alles en nog wat, en uiteindelijk gaat Hij naar het kroonjuweel, de mens. Vanaf dat moment spreekt Hij plotseling in meervoud: laat ons nu... alsof Hij wil benadrukken dat er iets heel bijzonders gaat gebeuren. We gaan nu mensen maken. De mens die het beeld draagt van God. Hij benadrukt ook dat Hij een 'ons' is, in plaats van één persoon. Vervolgens schept Hij maar één mens en dat is een man. En uit die man wordt vervolgens de vrouw gemaakt. Dat betekent dat vrouw en man één zijn. Die vrouw geeft Hij terug aan de man. Ze zullen samen één zijn. Dat verbond, tussen man en vrouw, is waar ik op doel als ik spreek van de verbinding die seksualiteit legt. Als vrouw en man kun je die seksualiteit ervaren omdat je één vlees bent. Als man met homofiele gevoelens kun je nooit die seksuele eenheid hebben. Maar de liefde is ook een afspiegeling van God en die kun je wel als man tegenover een andere man voelen. Zodra je die seksualiteit als twee mannen bedrijft, het één vlees zijn, samen één worden, ga je in tegen Gods bedoeling met de mens. Dat kun je als man en man niet met elkaar hebben. Weet je, ik denk dat ik evengoed die seksuele verlangens heb. Maar ik heb geen behoefte om eraan toe te geven. Dat heeft alles te maken met mijn achtergrond en mijn geloof. Ik heb de vrouw voor wie ik gekozen heb. Ik heb een verantwoordelijkheid richting mijn gezin, de kinderen en mijn geloof dat mij bepaalde dingen zegt.

Maar juist dat geloof, die Bijbel waarin teksten staan over homoseksualiteit, zorgde er aanvankelijk voor dat ik boos werd. Op God. Op Zijn kerk. Als U mij niet wilt, hoef ik U ook niet meer, dacht ik toen. Dat was de periode dat ik de Gereformeerde Gemeente verliet. Toch ging ik een leegheid voelen. Ik miste de kerk, miste God. Toen heb ik besloten van binnenuit te werken aan acceptatie en openheid. Homoseksualiteit is geen grotere zonde dan andere zonden. Homogevoelens moeten bespreekbaar zijn, zodat broeders en zusters naast elkaar kunnen staan. Heb uw naaste lief als uzelf.

Wanneer je, zoals ik, geen seksuele invulling wilt geven aan je homogevoelens, bekijk je het lichaam ook anders, denk ik. Al heeft dat niet per se met die homogevoelens zelf te maken. Als jongen zag ik mijn lichaam als een bron van kracht en tegelijkertijd wist ik dat het kwetsbaar was. Ik geloof niet dat ik door mijn homogevoelens anders naar mijn lichaam ben gaan kijken. Wel naar mijn gevoelsleven. Ik begrijp mezelf beter, heb meer zelfvertrouwen gekregen. Maar ik ben mij ook bewuster geworden van de noodzaak van Gods hulp bij alles wat ik doe.

Mijn lichaam is het middel waarmee ik gevoelens kan overdragen en toonbaar maken. Soms zou ik mijn homogevoelens willen vormgeven in een lichamelijke houding, een arm om iemand heen slaan, hand in hand lopen, elkaar in de ogen kijken. Maar ik voel me tegenover God verantwoordelijk voor hoe ik mijn seksualiteit vormgeef. Het belang van seksualiteit neemt bij mij steeds meer af. Ik zie veel meer in een geestelijke relatie. Ik wil de diepste drijfveren van de ander kennen. Seksualiteit is niet bedoeld om vanuit een egocentrische houding te beleven, maar om lichamelijke verbondenheid te creëren binnen een unieke relatie.

Ik merk dat ik nonchalanter word in de uiterlijke zorg voor mijn lichaam. Die buitenkant wordt steeds minder interessant. Dat betekent niet dat ik niet goed voor mijzelf zorg. Ik hecht steeds meer waarde aan nachtrust, de juiste voeding en het drinken van water. Soms neem ik mijzelf voor iets aan sport te gaan doen. Maar ik zet dat voornemen nooit door. Ik zou misschien een sportvriend moeten zoeken die mij helpt gemotiveerd te blijven. Maar dan zou het mij dus om gezondheid gaan en om beweging. Niet om het uiterlijk. Wat dat betreft kan ik mij goed vinden in de woorden van de Prediker: ijdelheid der ijdelheden, het is allemaal ijdelheid. Misschien zit daar ook mijn behoefte aan diepgaande relaties. Het lichaam keert terug naar de aarde, het is maar stof. Echte vriendschap is niet verbonden zijn door een mooi lichaam. In een echte vriendschap durf je aan elkaar de diepste bedoelingen bloot te geven, in vertrouwen kwetsbaar te zijn. De ander komt die kwetsbaarheid in zijn relatie met de grootst mogelijke integriteit tegemoet. Zielsverbinding, daar gaat het om. En daar heeft het lichaam niets of weinig mee te maken.

Wanneer ik mijn lichaam bekijk, zie ik een gestaag ouder wordend lijf waarop steeds meer de sporen van het leven zichtbaar worden. Een haargrens die opschuift. Een buikje dat niet meer strak en glad is. Verweerde handen. Er zijn momenten dat ik verlang naar een lichaam zoals het vroeger was: jong, mooi en strak. Maar ik put ook rust uit de gedachte dat het verouderingsproces deel uitmaakt van Gods plan. De reis die ik maak, tekent zich af op mijn lichaam. Het zal blijven aftakelen, minder worden, om uiteindelijk afscheid te nemen van wat mij aan deze aarde bindt. Op dat moment kan ik uitkijken naar wat God als bestemming aanwijst in Zijn woord. De plek waar alles weer nieuw zal zijn. Volmaakt. Zonder moeite. Zonder pijn. En zonder zorgen.

RAYMI SAMBO (39)

Hij komt niet binnen, hij stormt binnen, Raymi Sambo, als een echte acteur die als een wervelwind zijn opwachting maakt.

Nee, zitten lukt ook nog niet, Raymi ijsbeert heen en weer en gebaart en praat en lacht tegelijkertijd. Hij is verliefd. Verliefd!

We hebben het hier over de overstelpende gemoeds-aandoening die mensen drie, vier weken in hun greep kan houden. De verliefdheid duurt hopelijk langer, maar niemand lukt het een dergelijke heftige gevoelsuitbarsting langer dan een maand te doorstaan, want de geest mag dan verliefd zijn, het lichaam raakt gesloopt, want slaapt niet meer, eet niet meer, maakt overuren.

Het object van de liefde is een danser, half Spaans, half Marokkaans. Natuurlijk is er een foto, die wordt meteen op tafel gelegd, en als buitenstaander kun je alleen maar het voor de hand liggende opmerken: 'Mooi. Lijkt me een aar-dige jongen, ook.' Maar zo eenvoudig is het natuurlijk niet. Zo eenvoudig is het nooit in de liefde. Want hij is twintig en is dat niet veel te jong? Want ze hebben een dag ervoor ruzie gehad, en is dat niet een heel veeg teken?

De verliefde heeft tijdens het begin van zo'n verliefdheid eigenlijk geen tijd meer voor het gewone, dagelijkse leven, want zijn hoofd wordt volkomen in beslag genomen door vragen en dilemma's die acuter zijn dan welke belastingaan-maning dan ook.

Dit is de toestand waarin wij Raymi Sambo spreken. Zijn hoofd loopt over en zijn mond ook, althans, dat zegt ie zelf, want normaal is ie niet zo iemand die zijn ziel en zaligheid op de keukentafel legt.

Op het toneel, het podium: da's wat anders, dat is zijn vak.

Hij werd geboren op Curaçao, als jongste zoon van een

groot gezin; ging in Nederland naar de toneelschool, en heeft sindsdien in veel theater- en tv-producties gespeeld. *Domburg, All Stars, Klokhuis, Met vlag en rimpel, Zoop, Willem Wever.*

Altijd: de bruine acteur, de zwarte acteur. Altijd: de eerste bruin/zwarte acteur die sinds jaren in dienst werd genomen.

Dat Raymi Sambo op jongens valt en mannen, wist ie wel, maar volgens hemzelf is die wetenschap toch lang niet zo algemeen verspreid als wij meenden. Sterker nog: Raymi wachtte zich er wel voor om zichzelf ook nog eens te belasten met het homo-etiket, want dat bruin/zwart kleeft hem al aan, en voordat je het weet ben je geen acteur meer maar een lopend en spelend hokje.

Er is een eigenaardigheid: Als Raymi over zijn Curaçaose jeugd spreekt, praat ie over zichzelf in de derde persoon, alsof hij een personage is in een verhaal dat nauwelijks iets met hemzelf te maken heeft. Hoe meer we de tegenwoordige tijd naderen, des te meer Raymi Sambo samenvalt met de man die op de stoel zit en vertelt. De man die 'ik' zegt.

De voorlaatste intense liefdeservaring die ik had, dateert alweer van drie jaar geleden. Het ging om een vriendin van mij, een Italiaanse: het was een vriendschapsverliefdheid, net zo heftig en verscheurend als de seksuele liefde kan zijn. We waren dag en nacht bij elkaar, vertelden elkaar alles.

Ik voelde me ook haar echtgenoot, met alle jaloersheden die daarbij kunnen komen kijken. Ik kon er wel tegen als ze seks had met een andere man, maar niet als ze zich aan hem gaf, geestelijk. Terwijl wij tweeën geen seks hadden. Ja, soms een trio, met een andere man, en veel pillen, dat was dan wel te doen.

Ik gooide mezelf volkomen in die relatie, het was een wilde tijd, *living on the edge*, en zij was mijn *partner in crime*, mijn broertjezus, zusjebroer. En ik haar vriendman.

Curaçao is een machosamenleving, mannen moeten er echte mannen zijn, en dat betekent weer dat ze met zo veel mogelijk vrouwen seks moeten hebben.

Ik heb dat altijd belachelijk gevonden, machismo gaat echt nergens over, maar toen ik de bezitsdrift zag die zich van me meester maakte als het ging om die vriendin, realiseerde ik me dat ik toch meer van het eiland heb meegenomen dan ik vaak besef.

Heb ik een stoer imago? Ik heb gewoon een kaalgeschoren zwart hoofd, dat lijkt in Nederland al snel gevaarlijk. Zelf heb ik het idee dat ik een heel lichamelijk iemand ben, en dat ik mezelf daardoor ook gemakkelijk kan verliezen. Ik was een wrak na die lange, woeste periode van die vrienschapsverliefdheid. Ik had mezelf er met hart en ziel in gegooid, en op een gegeven moment zei mijn lichaam: Neen. Stop. Ik werd meegezogen in de gekte. Ik was de wantrouwende homo-echtgenoot van een vrouw, die niets met andere mannen mocht hebben, die zich met steeds vreemdere mannen inliet.

Het was zo verwarrend, zo heftig, ik voelde het tot in mijn botten. Iets of iemand moest er een punt achter zetten. Dat heeft mijn lichaam dus voor me gedaan.

'Hij' is geboren op Curaçao, in Suffisant, was een moederskind, heel erg, en van de rest van de familie trok hij zich niet zoveel aan. Hij had genoeg aan zichzelf, hij kan zich niet anders herinneren.

Oké, en dan was er natuurlijk R., zijn oudere broer, die echt stoer was, en die hem voorleefde hoe een echte Antilliaanse man zich hoorde te gedragen.

Hij, Raymi, was niet onder de indruk.

En ja, er was ook een vader, lichtbruine man, werkte bij Shell, verdiende goed, maar maakte altijd ruzie met moeder.

Hij, Raymi, heeft altijd haar kant gekozen, vanzelf-sprekend, riddertje van mamma.

Broer R. ging honkballen met vader. Honkballen ís iets op Curaçao, honkbal is mannelijk. Hij, Raymi vond er geen bal aan. Wel geprobeerd. Naar honkbal-wedstrijden geweest, en goed gekeken naar vader, naar broer R., hoe spannend ze het vonden.

Aha, zo deed je dat dus.

Zo speelde je een echte jongen. Een echte man.

Maar toen vader ook nog eens fysiek werd tegen moeder, zijn moeder, en het hele gezin op straat gooide, was de keuze simpel.

Een emotionele man, zijn vader, die niet in staat was zich verbaal te uiten, althans niet tegenover zijn gezin. In zekere zin altijd een ondeugend jongetje ge-bleven, tot aan zijn overlijden.

Hij was... oké, oké... Ik was grofgebekt als jongen. Kon mijn woordje doen, thuis. Geweldig schelden tegen va-der bijvoorbeeld, in het Papiamento. Man durfde toch niets terug te doen... en ik rende dan snel het erf af.

Ik kon goed leren, op Curaçao al, en daarom ging ik ook naar Nederland, naar het Amstellyceum.

Heb een enkeltje gekocht, ik wist dat ik niet terug zou gaan naar het eiland.

Ik was twaalf en ik denk dat je moet zeggen dat ik eenzaam was, geen vrienden; een teruggetrokken jon-gen die geen contact durfde te maken.

Ik zat in een Antilliaanse dansgroep. Dat was ge-weldig, maar ik durfde na het dansen niet met andere kinderen om te gaan, kon mezelf niet geven. Dat durf-de ik niet.

Een van de bekendste woorden in het Papiamento, ook hier in Nederland op straat, is *maricu*. Dat betekent flikker, maar meer nog: de man die zich laat nemen door een andere man, het vrouwtje dus.

Dat wilde ik niet zijn. Ik werd verliefd op jongens, al sinds mijn puberteit, maar mijn eergevoel verbood me om dat hardop toe te geven, daar openlijk voor uit te komen. Ik werd verliefd op jongens, maar een maricu was... of ben ik niet. Ik zeg dat zo omdat het woord te beladen is. Ik vrij met mannen, maar dat maakt me voor mijn gevoel nog geen maricu. Ik kan niet leven met die buitengewoon negatieve bijsmaak; dat woord gaat over een ander type, een andere man, niet over mij.

Later, in Nederland toch uitgegaan in de gayscene. Ik heb een zus van me wel eens aan een jongen voorgesteld en gezegd: 'Ik ga met hem.'

Mensen praten, mensen vinden het heerlijk een roddel door te vertellen, en natuurlijk moet het bericht ook broer R. hebben bereikt, mijn eigen machobroer, die inmiddels ook in Nederland woonde, van wie ik wist dat hij naar de Nieuwe Meer ging, om daar cruisende homo's in elkaar te slaan.

R. belt, en zegt: 'Hé, ik hoor het een en ander.' Ik zeg: 'Het klopt.'

Hij laat er meteen op volgen: 'Als je maar gelukkig bent.'

Ik had geen behoefte met mijn familie over mijn seksleven te praten. Toen een van mijn zussen vroeg waarom ik het niet eerder had verteld, zei ik: 'Ik zit er toch ook nog steeds op te wachten dat jullie mij vertellen dat je hetero bent.'

Hoewel ik jonger was heb ik me altijd verantwoordelijke gevoeld voor R. Vaderachtig: dat wat onze vader niet voor mij deed, wilde ik hem een beetje geven.
Het ging mij inmiddels goed, ik zat op de toneelschool in Utrecht en gaf me helemaal, brandde van ambitie om er iets van te maken.

Bovendien maakte ik serieus werk van het dansen, bij choreograaf Steven Daniels. Je wordt dan geconfronteerd met andere mannenlichamen, getrainde lichamen, mannen die elk spiertje beheersen. Ook die lichamelijkheid was zeer aan me besteed. Ik had er lol in dat lichaam van me te kneden, en het begon zich heel mooi te vormen.

Een goed getraind lichaam, dat is voor mij nog steeds een belangrijke zekerheid. Ik ben een fysiek acteur, ik wil mijn lijf zonder problemen kunnen inzetten, ook naakt. Ik wil dan niet afgeleid worden door vetrolletjes of schaamte.

Een tijdje in Los Angeles gezeten, en daar is iedereen natuurlijk *body obsessed*. Dus de sportschool, dat werd routine, dat hoorde gewoon bij het dagelijkse leven, als tandenpoetsen.

Ja, ik vind het lichaam wel een graadmeter voor aantrekkelijkheid. Je ziet hoe mensen naar je kijken, naar de spieren die door je shirt heen schijnen, en dat is toch een bevestiging dat mensen je aantrekkelijk vinden.

Laat ik het zo zeggen: misschien is het allemaal projectie, maar ik kijk zo, het is mijn blik naar de ander.

In Nederland ging het me voor de wind. De tv-serie waarin ik speelde, *All Stars*, van regisseur Jean van de Velde, over een voetbalteam, werd een groot succes. Ik weer de enige zwarte jongen, ik viel daar vanzelf op tussen zeven witte medespelers. Jean van de Velde vond zeven witte jongens meer een hockeyteam dan een voetbalteam en besloot aanvankelijk het hele verhaal te situeren rond een hockeyploeg, maar ik heb Jean weten te overtuigen dat zoiets niet zou werken. In een voetbalsetting kun je de hele dwarsdoorsnede van

Nederland kwijt. Al kon ik daar als enige zwarte acteur natuurlijk ook niet voor instaan.

Ik begon ook goed te verdienen, bij bepaalde televisie-producties wel zo'n zeventienhonderd gulden per dag, en voordat ik het wist dreigde ik de particuliere bank te worden van mijn hele familie. 'Raymi, kan ik even dit lenen... dat lenen.' Het is een Antilliaanse gewoonte om als familie altijd weer op elkaar terug te vallen, maar juist omdat ik me al vroeg afgezonderd had van het gezin, vond ik het lastig dat ze me nu ineens de hele tijd wisten te vinden.

Ook stoere broer R. deed vaak een beroep op me, en hoezeer ik ook een vervangende vader voor 'm wilde zijn, op een gegeven moment heb ik na de zoveelste ruzie omdat hij nooit terug wilde betalen de stekker uit onze relatie getrokken. Die breuk was een aanslag op mijn lichaam. Het was verwarrend er altijd maar wat bij gehangen te hebben en nu plotseling tot spil van de familie gebombardeerd te worden.

Nog steeds ben ik me zeer bewust van mijn lichaam, van mijn spierkracht die op peil moet blijven. Dat betekent dus: veel naar de sportschool. Drie à vier keer in de week, echt flink trainen. Natuurlijk heb ik ook periodes dat het erbij inschiet, en dan heb ik liever niet dat mensen me aanraken.

Dan heb ik liever ook geen seks, want dan voel ik me niet goed, dan vind ik mijn lichaam onwaardig.

Zelfs nu, nu ik verliefd ben, overkomt het me.

Eergisteren nog wilde R. aan me zitten, en dan zeg ik: 'Nee, vandaag niet, want ik heb al een paar dagen niet getraind.'

Vind je dat ver gaan?

R. heeft het ook: als hij zijn oefeningen niet allemaal heeft afgewerkt die dag, gaan zijn kleren ook niet snel uit.

Dat lichaam is belangrijk voor me, het is mijn ka-
pitaal. En niet iedereen mag er zomaar elk moment
gebruik van maken.

ALEX KORZEC (62)

Alex Korzec is niet een man met twee, maar met veel meer gezichten.

Als hij een hoed opzet en je komt hem toevallig tegen op straat, ontmoet je een joyeus, artistiek mens, een tikje afwezig misschien. Als hij achter zijn bureau zit in het Lucas Ziekenhuis, waaraan hij als psychiater en opleider is verbonden, zie je vooral een arts, een professional die gezag en vastberadenheid kan uitstralen.

Maar zit je met hem aan de keukentafel, dan kan deze 62-jarige man ineens veranderen in een jongen van zeg tien, twaalf jaar. Een heel slim, gevoelig, maar ook vroeg gedesillusioneerd jongetje. Vijf minuten later, wanneer het gesprek op Kundera is gekomen of de verhouding tussen moed en eer aan de orde wordt gesteld, tref je een cerebrale en erudiete gesprekspartner, die moeiteloos de wereld van de ideeën bereist zonder dat ie je ooit het idee geeft met een koffer vol boeken op stap te zijn.

Het zijn vooral zijn ogen, die alert zijn en ineens van intensiteit kunnen veranderen – van kwetsbaar naar hard, van bewogen naar ondeugend en dan weer naar onwrikbaar. Die ogen trekken meteen de aandacht, daar dirigeert hij vermoedelijk zijn patiënten mee. Door die beweeglijke blik vergeet je helemaal dat aan die ogen en dat gezicht ook nog een lichaam vastzit. En toeval of niet: in werkelijkheid wil Alex Korzec die vergissing zelf ook nog wel eens maken.

Ik ben getekend door een zekere beroepsdeformatie, laat ik het een beroepsrisico van psychiaters noemen. Zoals mensen die met asbest werken een sterk verhoogde kans lopen getroffen te worden door de longziekte asbestose, en zoals columnisten soms moeite hebben een grens te trekken tussen het private en publieke, zo heb ik de neiging mezelf als het ware te vergeten tijdens mijn werk. Als ik met patiënten praat ben ik een middel, heb ik een rol, sta ik in dienst van de ander. Ik ben er wel, maar ik ben er ook weer niet. Je zou het kunnen vergelijken met de oude Engelse butler, die geruisloos zijn werk doet, zorgt dat alles is waar het moet zijn zonder dat je de man zelf waarneemt. Zo iemand is niet onzichtbaar, maar weet zich op de een of andere manier zo te gedragen dat je zijn aanwezigheid vergeet; dat je alleen waarneemt wat hij doet, niet wie hij is.

Tijdens het onderhoud met mijn patiënten besta ik niet als persoon, maar als een personage: ik word een gesprekspartner met wie de ander zijn doen en laten kan bestuderen. Ik luister, analyseer, stel me open, en na bijvoorbeeld acht patiënten is dat lichaam van mij verdwenen. Dat is natuurlijk niet zo, het moet alleen gerevitaliseerd worden. Hoe dat kan? Door doodslag, ben ik bang, en door seks. Dat laatste is de meer geëigende mogelijkheid, om allerlei praktische en juridische redenen.

Wij zijn geneigd te denken in dichotomieën die een valse tegenstelling bevatten. Dan plaatsen we gedachten tegenover gevoelens, en zetten het lichamelijke af tegen het geestelijke. Maar in de praktijk zijn die gebieden niet zo strikt af te bakenen. Ik kan bijvoorbeeld volschieten van een welgemikte zin, een frase die precies treft wat er onder woorden gebracht moet worden. Evenzogoed kan ik volledig uit mijn doen raken door een foute zin. Bijvoorbeeld een echtpaar dat tegen elkaar zegt: We zijn tot elkaar veroordeeld; of door een akelig, bot en onwaarachtig woord. Daar zie je dat lichamelijke en cerebrale ervaringen zich niet zo gemakkelijk laten scheiden.

Goed, een praktijkvoorbeeld: ik luister naar een patiënt, hij of zij concentreert zich ook op mij, en dan kan het ineens zijn alsof zo iemand niet zomaar praat, maar in strofen spreekt, een gedicht voordraagt. Wat ik in mijn werk probeer te doen is de woorden zwanger te maken, ze een lichamelijke sensatie of zichtbaar beeld mee te geven.

Het draait denk ik om de fantasie van de onzichtbaarheid, die heel veel mensen zullen kennen. Ken je dat niet? Dat je als jongetje ervan overtuigd bent dat mensen jou niet kunnen zien, dat je als een soort Stealth, het voor radar onzichtbare Amerikaanse vliegtuig, door de ruimte beweegt. Nee? Het is een hardnekkige fantasie, die natuurlijk door de werkelijkheid wordt gelogenstraft, maar die toch van invloed is op de manier waarop iemand functioneert. Waarop ik functioneer.

Ik ben geboren in Łódź, Polen, net na de oorlog, in een joods gezin, dat van dat joods-zijn juist geen werk wilde maken. Aanvankelijk lag het in de bedoeling dat ik Aron zou gaan heten, en mijn broer Mozes, maar uiteindelijk is het Alexander geworden, en mijn broer kreeg de naam Michel. Daar moeten hele praktische redenen een rol bij hebben gespeeld. Ons gezin was net na die oorlog volledig gericht op assimilatie, opgaan in de omgeving die toevallig de jouwe is. In onzichtbaarheid, zou je kunnen zeggen. Daarmee ben ik opgevoed.

Polen was communistisch geworden, het was niet mogelijk zomaar het land te verlaten, en dus verzonnen mijn ouders een list. Mijn moeder ging met vakantie naar Israël en nam mijn oudere broer mee. Die kwamen niet terug, die bleven in Israël. Ik zal een jaar of zes zijn geweest. Bleef ik dus achter met mijn vader, die mij na anderhalf jaar meenam naar Frankrijk. Uiteindelijk zou het gezin daar weer samenkomen, met een vertraging van enkele jaren.

Of het verlies van mijn moeder een shock voor me was? Ik weet dat niet meer precies, ik denk dat ik toen al instinctief iets begreep van het mechanisme van de depersonalisatie, het verminderd besef van jezelf, je lichaam, je gemoed. Bovendien had mijn moeder me een dubbelzinnige opdracht meegegeven. Ze placht tegen mij te zeggen: 'Lieve zoon, je moet je niet hechten en niemand vertrouwen.' Dat is een ingewikkeld motto, als je moeder het zegt. En daar voegde ze dan aan toe: 'En vertrouw vooral niemand die niet van lekker eten houdt.' Dat was de joodse twist aan dat parool.

Ik zie nog het beeld van mijn vader, in Polen: ik zie dat hij zijn haar kamt, in de spiegel kijkt om te controleren of hij er correct uitziet. En ik realiseerde me als jongetje dat dit gedrag, dat bewustzijn van jezelf en je uiterlijk, mij werkelijk wezensvreemd is. Onzichtbaar, weet je nog? Dan hoef je niet in een spiegel te kijken, vlak voordat je het huis uit gaat. Je blijft onopgemerkt, ook voor jezelf en zeker voor anderen. Je uiterlijk doet er dan niet toe.

Eenmaal aangekomen in Frankrijk met mijn vader bleek hij daar over onvoldoende financiële middelen te beschikken, dus ging ik voor een paar jaar naar het weeshuis.

Ik zat daar tussen twee groepen, de joodse en de Franse kinderen, en ik was de spion, ik hoorde bij geen van beide en laveerde tussen de twee partijen door. Zo'n internaat is een plek waar je volkomen op jezelf bent aangewezen. Ineens zijn er weer andere regels en mores, die onverbiddelijk gelden. Als kind hou je daar het idee van volkomen willekeur aan over. Ik kwam van Mars, en wat hadden deze vreemde aardemensen nu weer voor iets idioots bedacht. Tegelijkertijd paste ik me aan, althans, zo goed mogelijk, zodat ik niet in de gaten liep. Want opvallen was wel het laatste wat ik wilde. Onzichtbaar zijn – het was ook mijn streven geworden.

Nog steeds heb ik snel rapport met mensen die als kind in een weeshuis of internaat hebben gezeten: het kameleontische vermogen, de kunst om je in een voor jou bizarre omgeving staande te kunnen houden. E.M. Forster, de Engelse schrijver die zelf ook op diverse internaten heeft gezeten, schrijft er trefzeker over in *Two cheers for democracy*. In het eerste internaat waar ie kwam, gold de absolute regel dat het buitengewoon schaamtevol was wanneer je een zuster had. Daar kon iedereen je om bespotten, dat moest je dus zo lang mogelijk verborgen zien te houden. Maar in het tweede tehuis waar hij terechtkwam gold een zo mogelijk nog vreemder taboe: het was daar absolutely *not done* om een moeder te hebben. Wat je ook was of deed – als je een zichtbare moeder had was je reputatie aan flarden.

Ik haal het aan om te laten zien hoe exotisch zo'n nieuwe omgeving kan zijn voor een kind; hoe arbitrair de ongeschreven regels die er gelden.

Ook later in mijn leven heb ik meegemaakt dat je je van het ene op het andere moment aan nieuwe codes moest houden. Toen ik bij de GG&GD kwam werken, gold daar de gouden regel: Wat je ook doet, zorg ervoor dat je nooit ofte nimmer in *De Telegraaf* komt te staan. Eigenlijk net zo merkwaardig als die *no way I have a mother*-regel.

En later, toen ik me toelegde op neurologie, raakte ik verzeild in een milieu van kakkers, die het de hele tijd over auto's en zeilboten hadden. En wat je wel of niet kon dragen. Voor mij als *invisible man* niet een heel urgent onderwerp.

De wereld wordt geregeerd door een zekere contingentie... zo kun je mijn ervaringen gevoeglijk samenvatten.

Mijn eerste grote liefde speelde zich af in dat Franse weeshuis: een meisje met de naam Ala. Ik zag haar, bewonderde haar, ook omdat zij een grote minachting voor onze internaatomgeving aan de dag legde. Zo vond zij het belachelijk dat kinderen gingen huilen als hun ouders op bezoek waren geweest en dan afscheid moesten nemen. Ze verachtte dat. Ze zag het leven als een groot toneelspel, en dus maakte ze met mij de geheime afspraak: Wij gaan dat ook doen, volgende week. Onbedaarlijk huilen. En ja hoor, het had effect, iedereen was diep onder de indruk van onze gevoelsuitbarsting.

Ik ontwikkelde mijzelf in die tijd tot een klein boefje. Brak in bij mensen, stal spullen. Onzichtbaar. Nooit op heterdaad te betrappen. Een keer had ik een fles parfum gestolen van de directrice van het weeshuis. Ze was daar nooit achter gekomen als ik die fles niet aan Ala had gegeven en zij in een woest gebaar de hele inhoud over haar kop gooide. Het hele gebouw rook ernaar. Natuurlijk kwam toen de directrice op de proppen en die herkende meteen haar eigen geur, het parfumflesje dat ze kwijt was. Einde onzichtbaarheid. Einde ook van de liefde met Ala.

Ik zou meer aandacht aan mijn uiterlijk kunnen besteden. Ik behoor te merken dat het jasje dat ik draag vol vlekken zit. Mijn vader zei altijd: 'Hoe arm je ook bent, je moet altijd dure schoenen dragen.' Oké, die regel heb ik opgevolgd – kijk, deze zijn Italiaans, geloof ik. Maar de rest, dat doe ik niet. Het zit niet in mijn systeem om op dat soort uiterlijkheden te letten. Ja, dat is wel belangrijk; met meer aandacht voor jezelf, iets meer zorg, komen er leukere meisjes op je pad.

Nee, ik was ook niet kwaad of driftig in dat weeshuis; ik had besloten me zo weinig mogelijk aan te trekken van die bizarre buitenwereld. Pas toen ik een dokter werd, en verantwoordelijkheid droeg voor mijn patienten, toen veranderde dat. Ik kan kwaad worden in een vergadering wanneer mensen zich een kunde aanmeten die ze niet waarmaken. Ik word driftig als ik zie hoe mensen in mijn vakgebied maar wat bluffen, zonder dat ze het met feiten kunnen staven. Ik heb dus moeten leren om me te engageren, te verbinden met mijn omgeving. Dat heeft behoorlijk lang geduurd.

Ik weet dat ik als jongeling een aardig, redelijk aantrekkelijk type moet zijn geweest – dat leid ik af uit de reacties van de mensen om me heen. Maar als een meisje of een vrouw me zei: 'Ik wil jou, jij bent alles wat ik in een man zoek', was toch mijn eerste neiging om te denken: wie hou je hier voor de gek? Ga een ander bedonderen. Het lichamelijk bewustzijn – daar heeft het me lang aan ontbroken, want dit lichaam was eigenlijk niet van mij.

Als ik tegenwoordig in de spiegel kijk, zie ik een naakte man, en het is heel wisselend wat ik daarvan vind; soms zie ik een kakkerlak, dan weer een type dat wel voor een man kan doorgaan. Zoiets heelt door de liefde, want de geliefde ziet jouw lichaam wel, bemint het of begeert het zelfs. Dat is van een onuitsprekelijke heiligheid. In de seks, tijdens de daad, val ik wel met mijzelf samen. Dan verdwijnt de onzichtbaarheid, de liefde doet die teniet.

Ik heb vroeger geskied, ik heb nog even karate geprobeerd, lange tijd was ik een redelijk getalenteerd langeafstandsloper. Maar pas in de liefde, wanneer het er juist om gaat je kwetsbaarheid te laten zien en die van een ander te koesteren, pas daar is de stoerheid van me af gevallen. Het pantser. De seksuele liefde is het tegengif bij uitstek tegen de onzichtbaarheid die me bedreigt.

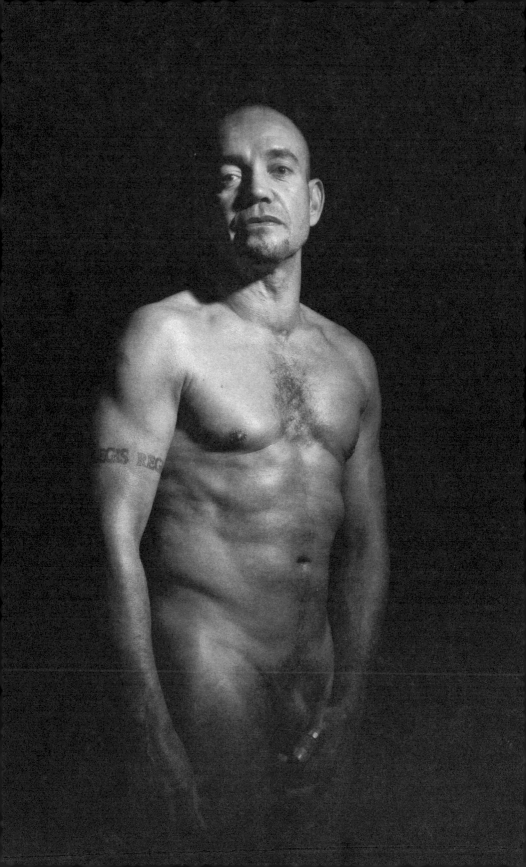

STEPHAN SANDERS (48)

In Hollywood bestaat sinds enkele jaren een nieuw filmgenre: 'bromance'. Films over de vriendschap tussen mannen. Niet zoals vroeger, toen die vriendschap vooral clichématig, ironisch of homo-erotisch was. Nee, bij 'bromance' gaat het om mannen die met elkaar praten, die gevoelig durven zijn, kwetsbaar, zich prettig bij elkaar voelen en dat uiten, zonder bang te zijn voor stempels of seksuele verwarring.

Stephan Sanders en ik trokken het afgelopen jaar veel met elkaar op. We praatten met elkaar over de mannen die niet mochten ontbreken in ons boek. We namen de interviews samen af. Gaven zelf ook interviews. Samen. We bezochten verjaardagen en borrels, leerden elkaars geliefde kennen, skypten tijdens vakanties en vroegen elkaar naar het leven dat wij leefden. Een ontluikende 'bromance'.

Toen ik in maart 2009 door mijn werkgever geschorst werd vanwege een wat blote modereportage, merkte ik dat de reacties op die schorsing en de beslissing zo'n fotoshoot te doen, zeer uiteenliepen. Het mannelijk lichaam maakte nogal wat los. Ik overwoog erover te schrijven en legde aan Stephan voor mij daarmee te helpen. Hij bleek eerder over het lichaam gepubliceerd te hebben en zegde enthousiast toe.

Ik vind dat Stephan zichzelf buiten de vaak wat stoffige intellectuele gemeenschap plaatst. Deels door zijn uiterlijk, de kleding die hij draagt, de vaak blauwe shirts met diepe halzen, het fitte lichaam, een tatoeage op zijn arm. Maar ook doordat hij bereid is zichzelf kwetsbaar op te stellen. Hij publiceert over een drankprobleem, zijn leven als geadopteerd kind, seksualiteit en afkomst. Dat zelfonderzoek houdt nooit op. Hij toetst zijn eigen vragen ook op anderen. Tijdens de gesprekken met mannen voor dit boek kon je er steeds op wachten dat hij begon over achtergrond, opvoeding en seks. Na een van die gesprekken zag ik hem voor het eerst dronken. We waren gaan eten. Langzaam veranderde de scherpe denker in een lallende dronkenman. Toen ik naar huis ging, bleef hij zitten. Er was gezelschap, er was wijn. Er viel iets weg. Ik kan dat 'iets' nog steeds niet goed benoemen. Maar een paar maanden later zag ik het opnieuw. Stephan zong voor een publiek. Op sommige momenten van het optreden stond hij kwetsbaar, bijna naakt, voor de mensen, terwijl op andere momenten duidelijk een façade werd opgetrokken, een show werd opgevoerd. De façade leek datzelfde 'iets' dat wegviel bij zijn dronkenschap. Maar zonder wijn vertaalde het zich naar naaktheid. Naar authenticiteit.

Wanneer je veel met Stephan optrekt word je verleid alles aan de psychoanalyse te onderwerpen. Ik ga dat nu niet doen. Zijn verhaal geeft genoeg inzicht, hij onderwerpt zichzelf wel aan die analyse. Ik wil hier alleen nog benadrukken dat ik Stephan Sanders nu als vriend ken. Dat ik van hem geleerd heb. Dat ik er trots op ben met hem een 'bromance' te delen.

Het eerste wat ik me herinner – of waarvan ik nu geloof dat ik het me herinner – was een licht verschil in kleur tussen mijn moeder en mij. Mijn huid was anders dan die van haar. Ik weet niet beter of ik ben geadopteerd, er is geen moment U geweest waarop ik dat te horen kreeg, het is me vanaf *Stunde Nul* meegegeven. Maar ineens zag ik dat het ook waar was. Dat het geen abstractie was, maar een feit, iets wat je kon zien, wat anderen zou opvallen.

Heel lichte huid, mijn moeder. Bovendien had ik vreemd haar, kroezig, waar niemand goed raad mee wist, ook de Twentse kapper niet. D'r was per ongeluk iets op mijn kop geplant en het was kennelijk niet een inheemse haarsoort.

Veel later, toen ik naar Amsterdam ging om te studeren, meenden Surinamers en Antillianen mij te herkennen als een van hen. Dat vond ik én strelend én volkomen mesjogge. Wel was het een revelatie dat die Surinaamse vrienden wisten wat je met mijn haar moest doen: 'vet zetten', zoals ze het noemden, het was kennelijk veel te droog, en dat was dan weer heel erg. Iemand vlocht *cornbreads,* van die vlechten die strak over je hoofd naar achteren lopen. Voor mij een totaal nieuwe wereld. Ik keek in de spiegel en ontwaarde ineens de contouren van Leroy, de zwarte acteur die een rol speelde in de toen populaire tv-serie *Fame.*

Wauw, ik kon voor zwart doorgaan, of in ieder geval toch voor bruin. Dat vond ik nog eens een verrassende uitbreiding van het standaardrepertoire, daar had ik niet op gerekend. Maar, zo verzekerden die nieuwe vrienden mij, ik sprak en gedroeg mij 'wit'. Dat vonden zij overigens niet slecht, dat vonden zij dan weer exotisch. Nog wel even een slepend zwart loopje geprobeerd, maar dat zag er toch niet overtuigend uit. Mijn spraak en mijn gedrag... dat heb ik toen maar zo gehouden. Nu nog, als ik in Zuid-Afrika ben, in Kaapstad, krijg ik van kleurlingen te horen: *Moe nie hou jou vir wit nie* (Je moet niet denken dat je blank bent). Ik leg ze dan braaf uit dat ik dat niet alleen denk, maar voor een belangrijk deel ook ben. Qua opvoeding. Moeder en vader. Maar dat helpt niet. Ik voldoe niet aan het verwachtingspatroon. Daar niet. En hier eigenlijk ook niet. Vrienden weten beter, maar buitenstaanders willen nog wel eens concluderen dat mijn stem niet bij mijn uiterlijk past. Te deftig. Te wit.

Nu is het minder, maar vroeger, wanneer ik mensen aan de telefoon had die ik later zou ontmoeten, verwachtten ze bijna altijd een leuke blonde corpsbal van zo'n 1 meter 90. Heb een bariton, mensen laten je daardoor in lengte groeien.

Grappig genoeg heb ik wel weer een verwoestende voorkeur voor bruine geliefden. Er is altijd de vertrouwdheid geweest met het bruine lichaam, de opwinding ook, die ik vroeger niet kon duiden. Ik herinner me een vakantie met vader, moeder en zus, ik zal dertien zijn geweest, toen een bruine Engelse jongeman van een jaar of achttien aanbelde bij ons vakantiehuis. Was verregend in zijn tentje verderop. Enfin, hij kreeg te eten, nam een douche en ik stond te duizelen op mijn benen. Ik moest iets met die man, al wist ik niet wat en hoe. In mijn seksideaal groei ik mee met mijn leeftijd; ik val op veertigers, liefst dus bruinig, liefst met stoppels. Wat je het mannelijke type noemt. Maar daar worden desgewenst ook makkelijk uitzonderingen op gemaakt.

Mijn eigen lichaam interesseerde mij nooit veel. Ik ben 1 meter 76. Dat is niet lang. De verwachting bij mijn adoptie was, volgens de buurman, die arts was, dat ik zeer lang zou worden: 1 meter 95 of zoiets, want ik had grote handen en voeten. Misschien dat ik mij daardoor nooit klein heb gevoeld. Als ik als jongen naar mijn lichaam keek, viel mij wel op dat mijn hoofd te groot was vergeleken met de rest. Maar ik was er lange tijd niet nieuwsgierig naar. Ook als ik nu trouwens naar foto's kijk die in mijn jonge jaren genomen werden, zie ik vooral die in-magere jongen met dat grote hoofd. Misschien ook omdat ik meer deed aan de ontwikkeling van de geest dan aan die van het lichaam. Ik hockeyde. Vooral omdat mijn vader dat ook deed. Hij was mijn coach. Ik was niet slecht, maar ook niet heel goed en ik merkte dat de band die mannen via sport met elkaar kunnen hebben, tussen mijn vader en mijn neef bijvoorbeeld, sterker was dan die tussen mijn vader en mijzelf.

Het gemak, de grapjes en pesterijen onderling. Mijn vader en ik waren meer bij elkaar op bezoek. Heel keurig en ook wel liefdevol, maar met een zekere reserve.

Door dat soort observaties ging het sporten me tegenstaan. In het musiceren kon ik opgaan. Daar ervoer ik een diepte die ik nergens anders voelde. Niet in de sport. Maar later bijvoorbeeld ook niet bij seks.

De eerste keer dat ik een orgasme beleefde, was in het bijzijn van een ander. Een oudere jongen. We zaten samen in een roeiboot. Hoewel de sensatie verrukkelijk was, beleefde ik dat moment bijna extern. Alsof ik een toeschouwer was van mijn eigen seksualiteit. Beschouwend. Analyserend misschien zelfs. In ieder geval was ik 'niet in het moment', zoals dat tegenwoordig van je verwacht wordt. Voor die roeibootscène, ik was toen twaalf of dertien jaar oud, dacht ik niet specifiek aan seks – althans, het moeten hele diffuse gedachten zijn geweest. Na die eerste keer dacht ik bijna nergens anders aan. Het was voor mij ook de eerste keer dat ik klaarkwam. Seks begon voor mij dus met samen. In mijn herinnering zijn vooral Grieks en Latijn verbonden met dagelijkse masturbatie. *Rex, regis, regi, regem, rege…* rijtjes leren, stampen, en dus ook rukken, om de eentonigheid te onderbreken. Misschien ben ik een laatbloeier. Maar toen ik eenmaal op gang kwam maakte ik grote slagen. In de jaren na die eerste seksuele ervaring had ik een serieuze verhouding met DJ, een jongen uit mijn omgeving. Tegelijkertijd experimenteerde ik met meisjes. Vooral om te bewijzen dat ik ook met hen seks kon hebben. Op mijn vijftiende richtte ik het clubje BIB op, Bi is Beter. Ik was streng in de leer, ook voor mezelf. Die meisjes, dat moest, anders klopte het label niet meer, maar van mannen ging ik helemaal trillen. Het verschil was duidelijk, al gaf ik dat niet toe. Ik weigerde medelijden over me heen te krijgen, was als de dood voor het 'begrip' dat van alle kanten op me stond te wachten. Begrip van de progressieve leraar maatschappijleer. Van oudere meisjes, die het heel flink van me zouden vinden, die homoseksuele coming-out, en die me dan in één ruk door ook konden afschrijven.

Er was altijd een Beste Vriendin die het wist, ook al omdat ze zelf op vrouwen viel. We hadden een verbond, we lachten stiekem de wereld uit, en voelden ons deel van een interessant geheim. Dat was, denk ik, goed voor het zelfvertrouwen van ons allebei. We vonden onszelf uitzonderlijk, en zeker niet minder of zielig. Integendeel. De uitverkiezinggedachte was zeer aan ons besteed. Ik hoop altijd maar dat jonge homo's elkaar nog steeds zo vinden en ondersteunen – daar kan geen psycholoog of COC tegenop.

Seks heb ik altijd problematisch gevonden. Gecompliceerd. Natuurlijk kan ik ervan genieten. Maar het duurt mij al snel te lang. Genot is als een roes. Kort en hevig. Het moment van de ontsnapping aan het dagelijks leven, de routine kan nooit te lang duren. Eigenlijk fascineert mij vooral het moment van versnelling. Eerst ben je nog verwikkeld in een normaal gesprek, dan is er die aanraking, een hand op een knie, en even later lig je bloot op elkaar in bed. Een kwestie van seconden, waarna alle verhoudingen zijn veranderd.

Als ik naar porno kijk, merk ik dat het echte acrobatische werk mij veel minder fascineert. Ik kijk als een schrijver, niet als een pornograaf: de modellen moeten elkaar gekleed ontmoeten, er volgt een onbeduidend gesprekje, liefst zijn ze samen aan het werk, en dan ineens zijn er die vier seconden, een hand die voorzichtig tast of een brutale graaibeweging maakt. Dat is voor mij eigenlijk ook het einde van een pornofilm.

Misschien zit de ratio mij op dat soort momenten in de weg. Het idee dat je lichaam een instrument kan zijn, dat je het kunt bespelen, kunt laten bespelen, is pas zeer laat tot me doorgedrongen, na mijn dertigste.

Kennelijk vond ik het vanzelfsprekend dat ik, als ik uitging in de gayscene, meteen allerlei aanbiedingen kreeg, van gratis drank en seks. Pas later weet je dat het met je uiterlijk te maken heeft. Ik vind het moeilijk om mezelf mooi te noemen. Of knap. Aantrekkelijk kan ik wel zijn. Ik kan mensen in mijn ban krijgen. Maar dat heeft volgens mij meer te maken met mijn stem, mijn manier van praten. Mijn stem is mijn vriend, die hoort echt bij mij, veel meer dan mijn lichaam. Ik vind het daarom ook nog steeds moeilijk complimenten te incasseren die echt en alleen fysiek van aard zijn. Ik weet nog steeds niet hoe ik moet reageren als mijn man, Delano, mij complimenteert met mijn kont. Ik raak ervan in verwarring, ik vind dat eigenlijk geen compliment waard. Alsof je over het cijfer '8' zegt: het is blauw. Het zegt me niets, het past niet. Die billen zitten daar gewoon, en ik doe er weinig aan. Ja, de sportschool, een paar keer per week. Plichtmatig bijna. Heel af en toe gebruik ik supplementen, als ik eraan denk. Bijna nooit dus. Maar ik hou ervan om pillen te slikken. Allerlei soorten. Dus dat komt mooi uit.

Het mooie aan de sportschool is dat die heeft gezorgd voor een herontdekking van mijn lichaam – nu zonder vervelende gymleraren en vaderlijke coaches die over mijn schouders meekeken. Ik heb het plezier ervaren van lichamelijke inspanning, ook gemerkt dat ik er veel beter in ben dan ik dacht. Als ik nu tennis, doe ik dat onbekommerd, en niet zoals veertienjarige, die wist dat zus en vader toch veel beter waren.

Het staat me wel tegen dat je met zo'n sportschool jezelf tot levenslang veroordeeld hebt. Want je moet het altijd bijhouden om verval te voorkomen. Dat verval dient zich na je veertigste ook steeds hardnekkiger aan. Ik zie het als een soort plicht het lichaam op orde te houden, ook voor je geliefde, je sekspartners. Je ontvangt mensen ook niet in een wanordelijk huis.

Daar komt nog iets bij: er is een periode geweest, nu zo'n zes jaar geleden, dat ik heel intensief trainde met een vriend. Ik zag mijn contouren veranderen, ik zag de schouder zich bollen, ik zag... ik zag het silhouet van een niet-blanke man die ook in me zit. Even ving ik een glimp op van mijn verwekker, die in mijn verbeelding natuurlijk havensjouwer was of zoiets dickensiaans en dus zeer breed gebouwd.

Ik leef, denk ik, met een soort hyperbewustzijn. Het idee dat er een camera op mijn hoofd staat, die alles een tweede keer registreert, zodat ik acteur en regisseur ben van mijn eigen leven. Alleen de roes helpt mij aan dat hyperbewustzijn te ontsnappen. Vooral de alcohol trekt me aan. Andere middelen, zoals coke, vind ik leuk voor eens in de zoveel tijd, maar het verdovingsmechanisme treedt daar niet op. Het is juist die verdoving die ik op wil zoeken. Even niet die tweede registratie. De analyse. Het constante denkwerk. De druk ook. Als ik drink om het hyperbewustzijn te ontvluchten, maak ik er, zeker vroeger, ook echt werk van. In korte tijd zo veel mogelijk wijn. En dan de deur uit. Schaamteloos eenvoudig. Ik leef, dacht ik dan, Ramses Shaffy-achtig, ik ontmoet mensen, maar de volgende dag was de black-out allesoverheersend en herinnerde ik me er weinig van.

Veel drinken is een ingewikkelde vorm van zelfsabotage: eerst geef je jezelf een cadeau – je mag onderduiken, jezelf onderdompelen, je hoeft even niet op te letten – en vervolgens is er niets anders dan de barstende kop en dat lege, schaamtevolle hoofd. Er zijn aardiger cadeautjes denkbaar.

Toch – en dat maakt het gecompliceerd – zit er ook een romantische kant aan die roeservaring, die ik telkens maar weer opzocht. Ik had altijd het idee dat alcohol me ook verbond met m'n biologie, datgene waarvan ik weinig of niets weet. Mijn verwekker was een kleurling uit Kaapstad, die de apartheid in de jaren vijftig is ontvlucht en in Londen terechtkwam, waar hij bio-moeder heeft ontmoet. Zeer kort, zeer vluchtig, ik denk dat de beste man, als ie nog leeft, niet eens weet dat ik besta.

Kaapstad ken ik goed, mijn belangstelling wordt natuurlijk gewekt door het Afrikaans dat er zo prachtig en bijna onnavolgbaar wordt gesproken, zeker door de kleurlingen, maar ook door het feit dat mijn vader hier de eerste twintig jaren van zijn leven heeft gesleten. De kleurlingen die ik daar ken, zijn allemaal nette, middle-class-mensen, maar die nemen me wel mee naar de townships waar ze vroeger gewoond hebben, en daar wordt gezopen...

Het cliché wil dat kleurlingen altijd dronken zijn. Nogmaals, het is een cliché, een generalisatie die een kern van waarheid bevat. Mijn romantisering van de drank en de roes heeft te maken met die niet-gekende achtergrond.

Ik vind het op mijn betere momenten een volstrekt sentimentele gedachte, maar als ik weer eens dronken over straat zwalkte dacht ik stiekem toch: ik kom uit een reeks, ik voeg mij in een lijn die ik niet ken, maar die lekker wel bestaat en ook deel van me uitmaakt. De brave jongen van vroeger die zich op z'n dertigste herinnert: Hè, d'r bestond ook nog zoiets als puberteit.

Sinds een jaar of acht heb ik een intensief contact met de zus van bio-moeder, mijn biologische tante. Geweldige vrouw, in wie ik ook die Sturm-und-Drang herken. Ze kan op 71-jarige leeftijd onbekommerd dronken worden. Ineens willen dansen. Wilde dingen verzinnen. Ik zie dat met een welwillend oog aan. Dat is ook familie, denk ik dan, de kant die ik toevallig niet eerder kende.

De volgende dag volgt op die roes de totale ontnuchtering: ernstig zelfverwijt en lichamelijk ben je wrakhout. De combinatie maakt dat je goede daden wilt verrichten, die alles weer glad moeten strijken. Maar dat gaat niet, want je hebt jezelf verloren, zoals ook de bedoeling was. Je bent dus ook echt iets kwijtgeraakt.

Hoe ouder ik word, hoe minder ik me dat kan permitteren. Want er komt vanzelf al steeds minder 'mij'.

ARIE BOOMSMA (36)

Het afgelopen jaar, terwijl we bezig waren met dit boek, heb ik Arie Boomsma veel gezien. Huiselijk, met een hip mutsje dat ook binnen op blijft, op ouderwetse kousenvoeten met ingezet teenstuk. 'Hoeft niet, Arie, hou je schoenen maar aan,' zeg ik nog. 'Nee, er zit sneeuw onder m'n zolen.' Nette jongen. Zo klom hij dan de wenteltrap op naar mijn werkkamer, met dat lange lichaam, dat heel anders moet manoeuvreren in een huis waar ik nooit bang hoef te zijn mijn hoofd te stoten.

Ook heb ik hem in het openbaar meegemaakt, als interviewer, op feesten, terwijl hij een prijs in ontvangst nam. Hij zet zichzelf dan aan, als een elektrisch kacheltje, hij straalt en geeft precies op tijd warmte af. Zelfs een beetje licht. Ik heb hem bijna nooit slechtgehumeurd mogen betrappen, en dat verontrustte mij. 'Je lijdt toch niet aan een messiascomplex? Zelfs Jezus kon kwaad worden.' Hij glimlachte dat weg.

Ik realiseer me dat hij mijn enige vriend is die gelooft in God. We hebben het er wel eens over, maar er is geen zendeling aan hem verloren gegaan. Het werd van mijn kant eerder trekken dan dat hij verbaal getuigde.

En dan is er dat potente lichaam en die kop, die vallen op, waar je ook komt. Meisjes die zenuwachtig Aries kant op lopen en dan met knalrood hoofd iets vragen. Jongens op de scooter die hem naroepen. Een zeer evangelische man die van zijn fiets afstapt om Arie te wijzen op een 'dwaalleer'. En verbaasde homo's die eerst ongelovig staren en die je dan hoort fluisteren: 'Hij is het echt.'

Het lijkt mij niet makkelijk de geliefde van Arie Boomsma te zijn. Het lijkt me al zwaar om Arie Boomsma te zijn. Maar Arie ondergaat al die ontmoetingen lachend, met brede armgebaren stelt hij zich open, terwijl ik naar een boerka zou verlangen.

Professioneel, heet dat. Het aan-knopje hapert nooit. Ik zie dat met stijgende verbazing en ook wel bewondering aan.

Hij is echt jonger dan ik, hij belt per mobiel op de fiets en in de supermarkt, hij vindt het niet gek om bijvoorbeeld acht mailtjes per dag aan mij te sturen, cc of bcc, en dat ik niet eens aan de mobiel wil, laat staan de iPhone, vindt hij onbegrijpelijk. Ik plaats mijzelf daarmee buiten de tijdgeest, vindt hij. Een kwalificatie die ik voor gelovigen gereserveerd had. Maar Arie heeft mijn ongelijk bewezen.

De scheiding tussen hoofd en lichaam waar sommige mannen in dit boek over praten heb ik nooit gekend. Ik geloof ook niet dat die echt bestaat. Wel denk ik dat veel mannen een van de twee hebben uitgeschakeld, genegeerd in de ontwikkeling. Maar om dat te kunnen doen moet je jezelf bewust zijn van de mogelijkheid. Ik heb daar nooit over nagedacht, groeide op in een gezin met drie broers, later nog een zusje, en bracht mijn jeugd veelal buiten door. Fysiek. Ravottend. Sportend. Hutten bouwend. De zondagen uit mijn jeugd geven een goede indruk van mijn opvoeding. 's Ochtends gingen we met het hele gezin naar de kerk, waar mijn vader preekte. Na de lunch trokken mijn broers en ik eropuit. Meestal zochten we vriendjes op om mee te voetballen. Maar we speelden ook vaak samen, in een park achter ons huis of gewoon op straat. Thuis luisterden mijn ouders naar klassieke muziek, terwijl ze de stapels boeken wegwerkten die altijd rond de bank en stoelen van de woonkamer verspreid lagen. Als we binnen speelden keken we 's middags mee naar Adriaan van Dis. Daar ging het over grotemensenboeken, waarvan we begrepen dat ze anders waren dan de boeken die wijzelf haalden, op woensdag in de bibliotheek. Het vechten, het vallen, het sporten en klimmen gingen dus altijd gepaard met het lezen en luisteren, met het gesprek aan tafel over de wereld, over onszelf.

Ik heb altijd graag in het middelpunt van de belangstelling gestaan. Wij verhuisden bijna elke vier jaar, woonden vaak in kleine plaatsen. Als domineeskind weet dan iedereen wie je bent. Met dat gegeven, dat imago, ging ik spelen. In de kerk maakte ik grapjes met mijn broers, zodat andere kerkbezoekers moesten lachen. Op school wilde ik vooral bewijzen dat ik zelf geen dominee was, nam het voortouw bij fikkie stoken, of als er een steen gegooid moest worden. Alles beter dan de brave domineeszoon. Mijn ouders hebben ook wel gewanhoopt toen ik twee keer havo drie moest overdoen. School interesseerde me op dat moment niet, de straat lonkte. Maar terwijl ik op straat haantje de voorste was, wilde ik bij de ouders van vriendjes bij wie ik op bezoek kwam, graag een goede indruk achterlaten. Dat ze zouden zeggen: Wat een leuke en welopgevoede jongen, die Arie.

Als je veel verhuist, moet je jezelf als kind of puber steeds weer aanpassen, een plek veroveren. Die plek werd voor mij al snel het middelpunt. Soms moest ik er letterlijk voor vechten. Toen ik van de provincie Utrecht verhuisde naar Friesland, werd ik op het schoolplein aangevallen door een grote boerenzoon. Hij was de baas en dat moest ik, als nieuweling, ondervinden. Maar ik won en merkte dat andere kinderen daarom aardiger werden, met mij wilden spelen.

Winnen maakte populair. Het zorgde voor bewondering, merkte ik. Op sportdagen wilde ik daarom de beste zijn, het hardst rennen, het verst gooien. Ik genoot ervan als het touw bij hoogspringen zo hoog lag dat alle andere kinderen al waren afgevallen en de hele klas gespannen toekeek of ik er nog overheen kwam.

Met uiterlijk had die behoefte aan bewondering niets te maken. Ik was van gemiddelde lengte, had een spits, beetje rattig gezichtje met van die grote voortanden. En mijn haar piekte vreemd omhoog door een dubbele kruin op mijn achterhoofd. Ik werd door moeders van vriendjes wel eens gecomplimenteerd met de kuiltjes in mijn wangen, maar dat was niet het soort bewondering waarvan ik, als achtjarige, genoot. Met het lichaam zelf was ik nog helemaal niet bezig. Als wij na gymnastiek met alle jongens douchten keken we wel naar elkaar, maar echt vergelijken deden we pas later. We gluurden door een sleutelgat naar de meisjes in de doucheruimte naast ons. Maar ook dat had niets te maken met seksualiteit of lichamelijk bewustzijn. Veel meer met spanning.

Rond mijn elfde werd ik mij echt bewust van mijn lichaam. Het viel mij op dat ik magerder was dan bijvoorbeeld een van mijn broers, die toch nagenoeg dezelfde leeftijd had. Bij het voetballen speelden we regelmatig tegen jongens die al haar op hun benen hadden. Mijn oudste broer had zelfs al schaamhaar. Daar was bij mij al helemaal geen sprake van. Maar toen ik dat zo om mij heen begon waar te nemen, viel het mij op dat ik achterliep op veel anderen in mijn omgeving.

In diezelfde tijd kwamen de Rocky-films uit, van Sylvester Stallone. In de vierde film speelde Dolph Lundgren, fysiek gezien een supermens. Daar was ik zo van onder de indruk dat ik met een plaatje naar de kapper ging om mijn haren in stekels te laten knippen. Net als Ivan Drago, zoals het personage uit de film heette. Vrij plotseling was ik veranderd in een jongetje dat zich bewust was van zijn uiterlijk, zijn lichaam, en dat besefte dat je daaraan kon werken.

Rocky en Ivan Drago had ik in films keihard zien trainen. Zelf ging ik met telefoonboeken en pannen in de weer, bij gebrek aan echte gewichten. Mijn lichaam veranderde niet. Maar ik heb in die vroege jaren wel een liefde ontwikkeld voor de eenzaamheid die gepaard gaat met het werken aan je lichaam, met trainen, beter worden dan anderen. Op die leeftijd dacht ik er niet op die manier over na. Dat is later pas gebeurd. Op dat moment genoot ik slechts van het afzien. Ook tijdens de voetbaltrainingen van mijn team. Het gevoel fysiek niet meer te kunnen en dan toch verdergaan. Modder, regen, tegenslag. En dan harder trainen. Doorzetten. Heel langzaam kwam ik erachter dat je lichaam altijd meer kan dan je hoofd denkt.

De ontdekking van mijn lichaam en zijn mogelijkheden zorgde ook voor seksuele nieuwsgierigheid. Mijn oudste broer had al vriendinnetjes. Hij vertelde daar weinig over, maar ik voelde dat hij dingen wist die ik ook wilde weten. In een lade van zijn kast had hij posters liggen van Britse zangeressen, spannend gekleed en uitdagend kijkend. Die kwamen uit de *Hitkrant*. Met mijn vriendjes ben ik dat blaadje daarom gaan pikken in de winkel. Ik las over zelfbevrediging, probeerde het een beetje, maar mijn lichaam was daar nog niet klaar voor. Het voelde lekker, maar klaarkomen was er nog niet bij.

Op een schoolkamp heb ik er nog om gelogen. Andere jongens lieten zien hoe groot de spermavlek was in hun slaapzak, na het aftrekken. Ik had snel wat speeksel op mijn hand gedaan en dat tegen mijn slaapzak aangehouden. Als voortrekker in de vriendengroep kon ik natuurlijk niet toegeven dat ik nog niet kon klaarkomen. Het was al erg genoeg dat ik nog geen haar op mijn lichaam had. Thuis haalde ik soms het scheerapparaat van mijn vader over mijn armen en benen. Ik had gehoord dat het daar sneller van groeide.

Het moment dat ik voor het eerst klaarkwam, thuis in bad, was een opluchting. Er was niets mis met mij. Als dertienjarige ga je dat toch denken als je achterblijft. Ik heb lang gefascineerd naar mijn eigen sperma gekeken. Dankbaar.

Een paar jaar later kwam ik voor het eerst klaar waar een meisje bij was. We lagen in een caravan te vrijen. Aan de andere kant van de kleine ruimte lag een vriend, ook met een meisje. Verder dan aftrekken en vingeren ging dat niet. De echte verbinding, penetratie, heb ik altijd gezien als een grote stap. Die wilde ik alleen zetten met iemand die ik echt bijzonder vond, waar ik een relatie mee had. Zo'n stap wordt daardoor door de jaren steeds groter. Seks is voor mij de ultieme intimiteit, kwetsbaarheid, echt samen zijn. In mijn leven ben ik maar één persoon tegengekomen met wie ik die diepe verbinding voelde. Dat is de vrouw met wie ik nu nog steeds mijn leven deel. Soms vragen mensen of ik niet bang ben iets gemist te hebben. Het zou naïef zijn om op die vraag direct 'nee' te antwoorden. Maar ik vind de keuze voor een persoon belangrijk. Die keuze voor elkaar gaat verder dan seksualiteit. Je deelt een leven. Met haar heb ik mij ook seksueel ontwikkeld, onderzoek ik mijn nieuwsgierigheid. Zij maakt mij compleet, ik kan dat niet anders uitdrukken.

Mijn lichaam is in alles laat geweest. Pas na mijn zestiende ben ik hard gaan groeien. Ik weet niet of het door het scheerapparaat van mijn vader komt, maar inmiddels heb ik haar op mijn benen en armen, en ook op mijn borst. Eerlijk gezegd zou ik daarvan wel wat minder willen hebben. Ik vind haargroei nu een van de onaantrekkelijkste dingen aan een lichaam. Een goed getraind mannenlichaam kan ik wel bewonderen. Misschien ook omdat ik weet wat ervoor nodig is dat lichaam in die staat te krijgen en te houden. Met erotiek heeft dat niets te maken. Wat dat betreft vind ik een mannenlichaam ernstig tekortschieten, zeker wanneer je het vergelijkt met dat van de vrouw. Er zit geen seksuele aantrekkingskracht in, geen elegante esthetiek. Mijn eigen lichaam zie ik ook niet als iets seksueel aantrekkelijks. Sterker nog, ik weet dat veel vrouwen een gespierd lichaam helemaal niet mooi vinden. Mijn eigen vriendin is kritisch op mijn lichaam. Als ik te groot word, te vol gespierd, laat ze duidelijk merken dat ze het onaantrekkelijk vindt. Meestal waak ik ervoor dat mijn spieren te vol worden. Wanneer ik, dankzij mijn onregelmatige werktijden in de media, regelmatig sport, word ik groter. Zodra ik dat merk, pas ik mijn schema aan, zorg ik ervoor dat ik langer ga boksen, meer fiets of mijn oefeningen in de sportschool vaker herhaal, met minder gewicht. Dan worden mijn spieren weer langer, droger. Elke twee maanden maak ik nieuwe trainingschema's voor mezelf. Ik zorg dat ik minimaal vier keer per week iets aan sport doe, maar liever nog zes keer. Dat lukt mij het best als ik het heel druk heb. Dan veeg ik mijn agenda schoon van alle privéafspraken en nevenactiviteiten, en concentreer ik mij volledig op mijn werk en de sport. Geen televisie. Geen clubs. Geen gezellige bijpraatsessies met vrienden of familie.

In perioden dat ik het moeilijker vind gemotiveerd te blijven, gebruik ik voedingssupplementen. Die geven mij dan net dat extra zetje. Een beetje creatine, of poeders en pillen met namen als SuperPump 250, Hydroxycut, Animal Pak en Explode. Toen ik, in de jaren negentig, in Amerika woonde en sportte, heb ik een liefde ontwikkeld voor die supplementen. Voor de grote blikken en bussen waarin ze verkocht worden, met schreeuwerige etiketten. Ik merk dat daaraan toch ook een lichte behoefte aan de roes ten grondslag ligt. Die poeders door een glas water staan te roeren geeft eenzelfde enthousiasme dat ik voelde als ik vroeger mijn xtc-pilletjes in mijn kleding of schoenen verstopte voordat ik naar een feest ging. Sommige supplementen voel je zelfs opkomen, een half uur nadat je ze had ingenomen, zoals dat ook met drugs gebeurt. Om die reden, juist vanwege die behoefte aan de roes, gebruik ik alleen supplementen in de winter, als ik het moeilijker vind om zo vaak te gaan sporten. En nooit langer dan drie maanden achter elkaar.

Tijdens het sporten schuif ik alle werkprocessen, alle lopende projecten aan de kant en concentreer ik mij op mijn oefeningen en mijn lichaam. Het liefst train ik alleen. Eenzaam met het ijzer, de herhalingen, het afzien. Steeds net wat verder dan ik dacht te kunnen gaan, dan ik een vorige keer nog ging. Altijd weer die grens opzoeken en dan eroverheen. Ik ben verslaafd geraakt aan het gevoel van vollopende spieren. Aders die verschijnen op biceps of schouders.

Na het trainen komt de creativiteit. Het werk, de lopende projecten, alles moest even aan de kant voor het trainen, maar stroomt daarna des te harder terug. Dat zijn de momenten dat ik nieuwe plannen maak, nieuwe programma's verzin of concepten bedenk, nadenk over verhalen en columns.

Pas de laatste drie, vier jaar heb ik er vrede mee dat ik door de wijze waarop ik met mijn lichaam omga in een bepaalde hoek geplaatst word. IJdel. Niet-intellectueel. Het zijn allemaal predikaten die ik opgedrukt krijg.

Vroeger ging ik daarom compenseren. Dan benadrukte ik dat ik in Amerika bachelors haalde in psychologie en in communicatie, dat ik minors volgde in filosofie en bewegingskunde. Dat ik aan een boek werkte. Alles om niet puur op mijn uiterlijk beoordeeld te worden. Nu speel ik er juist mee. Ik hou van sport en ik hou van literatuur. Van lichaam en van hoofd. In de ochtend kan ik genieten van een rechtse hoek op mijn kaak, tijdens het boksen, terwijl ik in de middag Kierkegaard lees. Je lichaam kennen, weten waartoe het in staat is, maakt je een completer mens. Een klap incasseren, hevige spierpijn, blessures... het zijn net zo goed lessen in het leven. Ieder mens zou het moeten ervaren.

Misschien geniet ik er nu ook wel meer van omdat het samenvallen van lichaam en geest mij moeilijk te plaatsen maakt. Er moet iets niet kloppen in het leven. Dat maakt het interessant. Ik ben er ook van overtuigd dat de wijze waarop ik sport, en altijd gesport heb, positieve gevolgen heeft gehad voor de wijze waarop ik leef. Ik heb structuur nodig. In de sport, privé, maar ook semiprofessioneel in Amerika, heb ik geleerd doelen te stellen, hard te werken, geen genoegen te nemen met talent. Maar ook om vast te houden aan structuur. Mijn vriendin lacht wel eens om de krampachtigheid die dat veroorzaakt. Zo dwing ik mijzelf elke week *De Groene Amsterdammer* en de *Vrij Nederland* van kaft tot kaft te lezen. Juist ook de artikelen en columns die mij niet meteen trekken, omdat ik daar misschien iets nieuws van opsteek. Maar ik kan dan ook in een lichte paniek raken als ik een van die weekbladen nog niet helemaal uit heb en de volgende alweer op de deurmat ligt. Met boeken heb ik hetzelfde. Een tegenvallend boek lees ik toch uit, omdat ik dat als overwinning zie. Mijn tv-optredens analyseer ik zoals ik vroeger wedstrijdbanden bekeek toen ik nog basketbalde.

Waar was het goed, waar moet het beter? Ik zoek constant structuur en routine. Daardoor is het niet makkelijk met mij samen te leven. Ik ben weinig impulsief. Te egocentrisch ook. Waar ik in mijn werk altijd zoek naar maatschappelijke betrokkenheid en dialoog, zoek ik privé juist heel erg naar isolement, naar de routine die daarbij hoort. Voor anderen vermoeiend. Voor mijzelf een heerlijk onrustige manier van leven. Nooit helemaal op mijn gemak, altijd in beweging. Zoals het vroeger ook al was. Steeds weer verhuizen. Opnieuw de omgeving eigen maken. En weer door.

Ieder gezond mens kan zelf bepalen hoe hij of zij eruitziet. Discipline, regelmaat en bewust eten zijn de bouwstenen die je nodig hebt. Het geeft mij voldoening controle te hebben over mijn lichaam, over de wijze waarop het eruitziet. Toch train ik niet voor anderen. De behoefte in het middelpunt van de belangstelling te staan gaat meer om het gevoel ertoe te doen dan om het gezien worden. Ik ben mijn hele leven al gezien, opgemerkt door anderen. Als domineeskind. Als sporter. En nu bij het werk dat ik doe in de media. Ik weet niet hoe het is om geen podium te hebben. Maar ik wil graag geloven dat het op dit podium niet gaat om hoe ik eruitzie, maar om de dingen die ik doe. Ondanks, of soms juist dankzij, dat uiterlijk. Dat is nog wel een streven dat ik heb: ervoor te zorgen dat de scheiding tussen lichaam en geest ook daar, in de media, niet meer bestaat.

FOTOGRAFIE

De mannen in dit boek zijn gefotografeerd door Judith Vermeij en Jan van Breda.

We hebben onze mannen steeds gevraagd zelf te bepalen hoe naakt, of juist gekleed, ze op de foto wilden gaan, zodat ook zonder woorden verhalen worden verteld over het lichaam, of het bedekken daarvan.

Meer informatie over onze fotografen vindt u op hun websites:

Judith Vermeij
www.u-did.com

Jan van Breda
www.janvanbreda.com

Mixed Sources
Productgroep uit goed beheerde
bossen, gecontroleerde bronnen
en gerecycled materiaal.
www.fsc.org Cert no. CU-COC-802528
© 1996 Forest Stewardship Council

Bij de productie van dit boek is gebruikgemaakt van papier dat het keurmerk Forest Stewardship Council (FSC) draagt. Bij dit papier is het zeker dat de productie niet tot bosvernietiging heeft geleid. Ook is het papier 100% chloor- en zwavelvrij gebleekt.

© 2010 Arie Boomsma en Stephan Sanders
Omslagontwerp en ontwerp binnenwerk Bart van den Tooren
Foto's Judith Vermeij en Jan van Breda
Drukker Wöhrmann, Zutphen
ISBN 978 90 254 3289 8
D/2010/0108/915
NUR 320
www.uitgeverijcontact.nl